BAND 81 DER BIBLIOTHEK SUHRKAMP

BERTOLT BRECHT

GESCHICHTEN

SUHRKAMP VERLAG

Erstes bis zehntes Tausend 1962

© 1962 Suhrkamp Verlag, Frankfurt. Erzählungen aus »Kalendergeschichten« Copyright 1949 by Gebr. Weiss, Berlin. Alle Rechte
vorbehalten durch Suhrkamp Verlag Frankfurt am Main. Printed in
Germany. Satz und Druck in Borgis Walbaum von Poeschel & Schulz-
Schomburgk, Eschwege. Bindearbeiten Ludwig Fleischmann, Fulda

GESCHICHTEN

Ein alter kranker Mann ging über Land. Da überfielen ihn vier
junge Burschen und nahmen ihm seine Habe. – Traurig ging
der Alte weiter. Aber an der nächsten Straßenecke sah er zu
seinem Erstaunen, wie eben drei von den Räubern den vierten
überfielen, um ihm seinen Raub abzunehmen. Dieser fiel bei
dem Streiten jedoch auf die Straße. Voller Freude hob es der
Alte auf und eilte davon. Jedoch in der nächsten Stadt wurde
er angehalten und vor den Richter geführt. Da standen die
vier Burschen und klagten ihn, jetzt wieder einig, an. Der
Richter aber entschied folgendermaßen:

Der alte Mann sollte sein letztes Gut den jungen Burschen
zurückgeben. »Denn«, sagte der weise und gerechte Richter,
»sonst könnten die vier Kerls dort Unfrieden stiften im
Land.«

BARGAN LÄSST ES SEIN

Eine Flibustiergeschichte

Um Mitternacht seilten wir das Schiff in einer Bucht fest, die unter dicken und fettlaubigen Bäumen schlief, steckten Zwieback und gedörrte Datteln zu uns und drangen, indem wir vorsichtig, wie auf Eiern, liefen, durch das Dickicht gegen Westen vor. Bargan, der uns führte wie eine Schar Kinder – und wir Flibustier glichen sonst nicht eben den Säuglingen –, Bargan verstand es mit den Sternen, was die Orientierung betrifft, wie der liebe Gott. Wir gelangten richtig durch den ungeheuren Wald, der verwickelter war als ein Garnknäuel, auf die Blöße, und in mildem Licht lag die Stadt vor uns, die wir suchten wie unsere Heimat, bevor es Tag wurde. In aller Stille fingen wir unser scheußliches Geschäft an; zunächst störte uns keiner von ihnen, aber dann wurden sie böse, die aus dem Schlaf geweckt wurden durch Würgengel, und es gab einen gemeinen Kampf in den Häusern. Wir liefen immer alle zusammen in ein Haus, balgten uns mit den Männern, die im Hemd mit Tischen und Türen zuschlugen, und verteidigten uns gegen die Weiber, die wie Hyänen vorgingen. Ihr Schreien füllte die Luft wie ein eisiger Nebel, als wir Schritt für Schritt gegen die Zitadelle vordrangen, die an einem kahlen Berg lehnte und aus hölzernen Bauwerken bestand. Ein Teil von uns, darunter ich selbst, drängte sich noch durch ein geöffnetes Holztor, dicht hinter Fliehenden, das Tor ging zu, und die Weiber, die im Hemd auf den Mauern und Gerüsten standen, warfen Steine und Holzdinge auf unsere Köpfe, so daß wir uns in unserer Haut nicht wohl fühlten. Als wir schon blutige Köpfe hatten und furchtbar pfiffen, damit Bargan uns höre, kam er schon mit einigen Leuten von hinten. Er war allen voraus in dem kleinen reißenden Fluß unter dem Fachwerk in die Zitadelle eingeschwommen, wobei ein Fisch sich den Bauch an den spitzigen Steinen zerfleischt hätte, aber Bargan konnte keinen von uns allen sterben sehen. Von da ab ging es schneller, um so mehr als Bargan einen seiner unglaublichen Einfälle hatte. Die zähesten von den Feinden hatten sich nämlich in dem höchstgelegenen Holzhaus verbarrikadiert, in das man nicht gelangen konnte außer mit Flügeln. Dorthin liefen von allen Seiten die noch nicht Erschlagenen zusammen, wodurch dieses Haus bald sehr stark wurde und, wenn es in dieser Weise weitere Feinde verschluckte (die sich im Innern bewaffnen konnten), leicht zu einer verdammten Rattenfalle werden konnte, denn wir Flibustier waren über die ganze Niederlassung zerstreut und viele hatten schon begonnen, die Weiber zu befriedigen, und Schildkröten kann man von Kindern schlachten lassen. Deshalb ließ Bargan eine Anzahl von Frauen auf einen Haufen zusammenkoppeln, und nun fingen einige von uns an, in guter Sichtweite von dem Blockhaus die Frauen zu vergewaltigen, was sehr gut aussah und auf die Holzwürmer solchen Eindruck machte, daß sie gegen alle Regeln des Gefechtsverkehrs wie junge Stiere aus dem sicheren Holz brachen und abgeschlachtet wurden wie junge Lämmer, zitternd und hilflos, einer nach dem anderen, oder zu zehn und zehn. Damit war die Stadt durch Bargans Weisheit und Menschenkenntnis erobert, und als die guten Häuser aufwachten, rumorten *wir* in ihnen herum und bewunderten unsere neuen Besitztümer. Es war ein guter Streich, aber wenn wir den Haken daran gesehen hätten, scharf und gekrümmt und mörderisch, so wie heut und fünf Wochen nachher, dann hätten wir alle lieber das höllische Fegfeuer erobert als die schöne Stadt, die mit brauchbaren Dingen zum Platzen überfüllt war. Die Gefangenen, von denen es etwa siebzig gab – die anderen schliefen in ihren Häusern weiter bis zum jüngsten Tag, es regnet nicht auf sie –, trieben wir in einem Hof des Rathauses zusammen, wo sie auf den Steinen sitzen konnten und ausruhen. Niemand hatte in den ersten Stunden des Siegesrausches Zeit, sich mit ihnen abzugeben, erst gegen Mittag kam Bargan zum Appellblasen und da ging er auch zu ihnen hinein, um die Frauen anzuschauen. Sie erhoben sich und standen zitternd vor Kälte im Hof herum, denn sie hatten meist nur Hemden an, es war so verflucht rasch gegangen, daß Gott sein Gesicht von ihnen abwandte, um die Ernte in Brasilien zu besehen. Übrigens steckten einige hübsche Frauen darunter, das heißt sie waren im Hemd und zitterten, und wir hatten seit sieben Wochen keine junge Haut mehr gesehen. Ein Haifisch würde geglaubt haben, daß wir darauf aus waren wie Gott auf einen bekehrten Sünder, und Bargan machte gleich den Anfang, indem er ein junges Weib zeichnete, das in sein Zelt kommen sollte. Wir sahen sie nicht deutlich an zuerst, Bargan hatte nicht den besten Geschmack, er lag bei allerlei Gelichter und es hieß nicht umsonst, daß er die amerikanische Krankheit hatte, die einen Christenmenschen stückweis verfaulen läßt. Aber da erhob sich ein Zank zwischen Bargan und seinem Freund Croze, dem ›Klumpfuß von St. Marie‹, und es handelte sich um das junge Weib, das beide haben wollten. Jeden anderen hätte Bargan sofort niedergeschlagen, denn um Branntwein oder Geld, auch um Ehre nicht, schlugen wir uns unter Freunden nie, sondern nur um Weiber, aber der Teufel weiß, warum Bargan an dem fetten Burschen einen Narren gefressen hatte, der wie ein Hund, den niemand will, auf der Straße gelegen hatte, bevor Bargan ihn an seinen Busen nahm. Aber nun war er geschwollen wie ein vergifteter Hund, soff überall herum, spielte mit Bargans Goldstücken, an denen von uns allen, ausgenommen ihm selbst, guter Schweiß klebte, und stritt nun mit Bargan selbst vor unser aller Augen um ein Weib, das Bargan so sicher gehörte wie sein eigener Fuß. Wir fingen bald alle zu schreien an, daß Bargan, der keineswegs sicher war, ob ihm sein eigener Fuß gehörte, das Weib schließlich nehmen mußte, worauf er wie gewöhnlich Appell abhielt, bei dem der Klumpfuß von St. Marie hinter ihm drein die Front abstampfte. Dabei sahen wir ihm in die Augen, und ich kann euch sagen und konnte es damals schon, es lag Verrat auf ihrem Grund, Schleim und verfaulte Fische.

Den ganzen Tag verbrachten wir mit Trinken und mit den Weibern, wir hielten es mit dem Bettler, der ein altes verlaustes Hemd über den Zaun warf und sagte: Leben und leben lassen! Nur Bargan arbeitete im Zelt – er zog nie in ein Haus, meinte immer, die Decke könne herabfallen – so ziemlich den ganzen Tag, unter anderem an der Verteilung der Beute, soweit sie aus reinem Gold bestand. Er sah das junge Weib nicht *ein*mal, und am Abend schüttelten wir schon alle die schweren Köpfe darüber, daß Croze das Weib hatte, Bargan selbst hatte sie hinüber führen lassen in das Haus, wo der Klumpfuß von St. Marie den ganzen Nachmittag mit einem anderen Mensch gelegen hatte. Wir sagten später, seine Feindschaft gegen Bargan, der ihn wie ein Kind liebte, sei dadurch entstanden, daß Croze am Abend, als er das Weib bekam, schon nicht mehr konnte, und das ärgerte ihn. Jedenfalls fanden einige von uns noch in derselben Nacht das junge Weib mit durchschnittener Kehle in Crozes Zimmer auf, der aber hatte sich, nachdem er sie wie ein Huhn abgeschlachtet hatte, bei Nacht und Nebel aus dem Staub gemacht. Mit ihm noch sieben bis acht Burschen, die Bargan nicht grün waren, weil sie dereinst eine schäbige Seele abbekommen hatten. Als wir es Bargan in der Frühe sagten, ließ er sich nichts merken, aber danach trank er und stierte immer in ein Loch hinein, mitten in unserem Siegesjubel, der noch drei Tage dauerte. Am Abend des dritten Tages, als die Weiber aufgebraucht waren und der Schnaps bitter wurde, kam der fette Croze zurück, aber allein, und tat, als sei er im Gebüsch beim Verrichten seiner Notdurft gewesen, und sah uns allen fragend ins Gesicht. Und obgleich wir ihm gern die dicke Haut über die knorpeligen Ohren gezogen hätten, taten wir, als hätten wir ihn nicht vermißt und auch das Huhn nicht gefunden, nur weil Bargan gar nichts tat, um seine Freude über seine Rückkehr zu verdecken, die ihm keine Ehre machte. Und in den darauffolgenden Tagen, wo wir den Abmarsch in Gang brachten, lebten die beiden zusammen wie früher, wie Brüder, die zusammen einen Mord begangen haben.

Wir luden das Beste von all dem Zeug, von dem wir noch das Gute zurücklassen mußten, auf die Ochsenwagen, suchten die Gäule aus und machten alles fertig, denn wir hatten für unseren Ausflug drei bis vier Tage in Aussicht genommen und jetzt war es eine Woche geworden. Aber als wir aufbrachen, fehlte die Munition. Es war massig Pulver dagewesen, wir hatten noch *dazu* erbeutet, jetzt war alles verschwunden, ohne einen Laut in die Luft geflogen. Die Wachen hatten nichts gehört, vielleicht hatten sie ihren Rausch ausgeschlafen; merkwürdig war freilich, daß die Kisten oben droben die alten waren, nur war Sand drinnen und statt der Fässer unter ihnen lagen Kisten und Heringstonnen, allerlei altes Gerümpel. Wir suchten wie Spürhunde und verschoben den Abmarsch. Am andern Tag stießen wir in einem Weiher auf die guten Pulverfässer, man hätte drauf schlafen können. Es war ein tüchtig Stück Arbeit gewesen, sie dahin zu bringen, ohne daß sich fremde Leute drum bekümmerten, niemand hatte die Ahnung eines Beweises, aber niemand im Lager zweifelte daran, daß Croze mit der üblen Sache zusammenhing, wie die Mutter mit dem Nabel des Kindes. Die Nabelschnur war abgebissen, aber von nun an hatten wir ein Auge auf den Klumpfuß von St. Marie, der zwischen den leeren Heringsfässern herumharpfte wie ein Kürschner, dem die Felle weggeschwommen sind, nachdem er sie schon verkauft hatte, und auch auf die Burschen, die der Wald verschluckt hatte.

Unsere Kolonne hatte einen geschwollenen Bauch, was den Haufen Wagen und Zugochsen betrifft, und eine lahme Faust, was die leeren Pulvertonnen anlangt, wir watschelten gemütlich durch das Holz, das wir mit Äxten niederlegen mußten, und in die Erdrisse mußten wir Zeug stopfen, daß wir hinüberkamen. Das war langweilige Arbeit. Da bekamen wir Unterhaltung, mehr als uns lieb war und bekam.

Wir zwängten uns am zweiten Tag unseres Marsches gerade durch eine malerische Felsgegend, mit hübschen Wänden rechts und links, da begann es Steine zu regnen in der Größe von Straußeneiern, oder noch bedeutender. Wir steckten zwischen Ochsen und Fahrzeugen, die in verschiedener Richtung auseinanderwollten, weil die Steine härter schienen als wir, und konnten uns nur unter die Räder verkriechen und warten, bis der Himmel ein Einsehen oder keine Steine mehr hatte. Unter anderen Umständen hätten wir hinaufgeschossen, dann wären außer den Steinen noch ein paar dürre Engel heruntergekommen, aber mit Heringen konnte auch Bargan nicht feuern. Wir hätten uns langsam oder schnell begraben lassen müssen, und dann hätten die Burschen oben, die es regnen ließen, den Anblick eines Feldes gehabt, auf dem zuerst nützliches Zeug wuchs, aber nach dem Hagel nur noch Steine liegen, auf denen kein Namen steht – aber da kam einem von uns eine Erleuchtung und er nahm, unter Lebensgefahr, den Klumpfüßigen von St. Marie am Kragen und zerrte ihn aus seinem Wagen heraus, in dem er sicher hockte wie der Dotter im Ei. Und die oben mußten gut sehen und seinen Wagen in dankbarer Erinnerung haben, denn der Regen hörte sofort auf und wir konnten weiter.

Es war ein deutliches Zeichen des Himmels, und wäre Bargan nur blind gewesen, hätte er es gesehen. Aber er liebte den fetten Croze und sagte zu uns: Es gäbe keinen Beweis und wir sollten uns schämen. Da gab ihm Croze, der dabei stand und auf die Sonne guckte, die Hand vor unsern Augen. Da machten wir aus, daß immer einer von uns auf Croze aufpassen sollte, bei Tag und bei Nacht, denn Bargan tat es nicht, er schloß seine Augen, er lebte mit Croze wie zwei Freunde im finstern Gehölz, die sonst niemand haben. Also mußten wir die Augen aufmachen, denn Bargan war so, daß wir lieber mit ihm alle zum Teufel gehen wollten als ihm ein Leids tun.

Es kam aber dann die Sache mit der Windrichtung.

Wir mußten irgendwie irr gegangen sein. Der liebe Gott täuschte sich mit den Sternen. Früher hatte Bargan nachts einen Blick auf den Himmel geworfen und wir konnten auf einen Pflock im Urwald zumarschieren danach. Jetzt stand er stundenlang vor seinem Zelt und rechnete, wie unsere Wachen sagten, manchmal stritt er auch dazwischen drin mit Croze herum, der immer frecher wurde. Und dann irrte er sich auch noch und wir mußten uns zusammenreißen, daß wirs ihn nicht merken ließen. Später klappte auch sonst ab und zu etwas nicht mehr mit seinen Anordnungen, das fing mit der Sternensache an.

Wir dachten, er habe Kummer mit Croze, auf den er sich nun einmal verlegt hatte, es ging ihm wohl so wie einem Mann, der lieber fünfmal eine Ankerkette flickt, als daß er eine neue anschafft, wiewohl es Stürme gibt. Kurz, wir sahens ihm nach, auch die üble Sache mit Jammes, den Croze beschuldigte, er habe ihm sein Messer gestohlen, und den Bargan auspeitschen ließ, obwohl wir alle wußten, daß Jammes das Messer gehörte und Bargan wissen mußte, daß Croze das Messer nicht gehörte. Croze stand da und fand es nicht einmal nötig, irgendeinen Beweis zu erlügen. Er starrte nur seinen Freund an, als wolle er ihn erproben. Nachher lief sogar das Gerücht um, der Klumpfuß von St. Marie habe zu Bargan gesagt, das Messer erkenne er genau als das seine, weil es dasjenige gewesen sei, mit dem er dem Weibe, das ihm

Bargan schenkte, den Hals abgeschnitten habe. Das war der Gipfelpunkt. Er sah Croze ähnlich.

Der Irrtum mit der Richtung wurde sehr peinlich. Wir kamen viel zu weit unterhalb der Buchtstelle an, wo das Schiff lag. Da entschloß sich Bargan nach all dem noch, Croze vorauszuschicken, um die Mannschaft des Schiffes von unserer Ankunft in Kenntnis zu setzen. Wir waren alle dagegen, es half jedoch nichts. Der Klumpfuß von St. Marie setzte seinen Willen durch und ritt uns allen voraus. Wir sahen ihm nach, wie er, dick und gallig, auf seinem Gaul durchs Gehölz fortsprengte. Wir hatten alle einen Krebs im Hals.

Wir marschierten kaum zwei Stunden, da kam der Mann, der mit Croze geritten war, mit der Botschaft zurück, jener und die ganze Schiffsmannschaft würden uns in einem ausgetrockneten Wasserlauf, der in die Bucht führte, entgegenkommen, wir sollten also dort marschieren. Wir witterten Unrat, jedoch dirigierte uns Bargan wirklich in das Flußbett hinüber, und wenn wir auch heraus hatten, daß der Teufel sich der Sache annehmen würde, wußten wir doch nicht, was er vorhabe, und darum und Bargans wegen gehorchten wir. Unter kühlem Wind setzten wir auf den dichten Steinen des Flußbettes unsern Marsch in den Abend hinein fort. Das Flußbett verbreiterte sich sehr stark, schließlich verloren wir die Ufer aus den Augen und schworen, das Bett sei vollends ausgetrocknet, oder wir hätten es schon verlassen. Bargan auf seinem dunklen Hengst hatte die Richtung im Kopf wie seine Augen. In dem milden Licht der ersten Sterne, die aus dem dunkler werdenden Himmel quollen und an die ich mich aus bestimmten Gründen deutlicher erinnere als an die irgend einer anderen Nacht, in guter Ordnung vorwärtsgedrungen, spürten wir bei zunehmender Dunkelheit plötzlich Wasser in den Schuhen und merkten bald mit wenig Freude, daß es stetig und nicht zu langsam stieg. Auch hatten die Wellen seichten Wassers eine bestimmte Richtung, die gegen uns lief,

so daß uns auf die Idee geholfen wurde, daß wir unser Flußbett so wenig wie unsere Schuhe unter den Füßen verloren
hatten, daß es aber kein Flußbett, sondern eine Meeresbucht
war und daß die Flut ernstliche Anstrengung machte, uns
alle, Mann und Roß und Wagen vor dem ersten Hahnen-
schrei zu ersäufen. Anfangs gestattete uns die Dunkelheit
noch freundlich, einander anzuglotzen, aber dann verhüllten
weiche und ekelhaft weißliche Nebel die wenigen Sterne,
und das Wasser um unsere Knöchel stieg mit dem Ernst einer
Erscheinung, die ihr Handwerk versteht. Die Erwerbung uns-
rer Beute hatte uns und ihren früheren Besitzer viel Schweiß
und Blut gekostet, aber nun mußten wir sie den kalten Wassern lassen, die ganz mit sinnlosem Steigen beschäftigt, sich
um uns nicht mehr kümmerten als um trockene Steine. Der
Fluß sah aus wie ein Auge, das aus irgendwelchen Gründen
dunkler und dunkler wird, wie es in der Liebe geschieht,
wenn die Berauschtheit herannaht. Als die Wasser hoch genug geworden waren, um auch dann peinlich zu werden,
wenn sie still gewesen wären, begannen sie sich mit Leben
zu füllen und gerieten in die Aufregungen eines Strudels.
Schon blieben die Karren stecken, und wir schwangen uns auf
die Stiere. Aber dann fingen auch die Stiere an, die Sache
schwierig zu finden, und es mochte nach unserem Gefühl etwas über Mitternacht sein, als der erste Stier wortlos in der
Flut versank und irgendwohin hinunterschwamm. Um diese
Zeit mußten wir uns aufs Schwimmen verlegen und taten es
brüderlich mit hölzernen Planken zusammen. Wir konnten
uns noch zusammenhalten, freilich nicht alle, einige schwammen auf lange Zeit fort, ich habe sie bis jetzt nicht wieder-
gesehen. Aber Bargan blieb in unserer Mitte.
Etwa zwei Stunden nach Mitternacht spürten wir festen Boden unter den Klumpen, die an unseren Knien hingen, und
klommen, Bargan voran, auf eine kleine steinige Insel, wo
wir, ohne Feuer und Decken, hungernd und in nassen Klei-

dern in unterhaltender Besorgnis, daß das Wasser nachkommen könnte, den Morgen erwarteten, wie der Sünder am Tag des Gerichts auf Gottes Stimme wartet mit der Erlaubnis, daß er durch die Tür rechts in die berühmte Seligkeit eingehen kann.

Bargan ließ all diese Stunden über kein einziges Wort fallen, obwohl wir alle an die siebenzig Männer und Weiber dachten, die Bargan vor unserem Abmarsch hatte schlachten lassen auf Crozes Bitten.

Gegen Morgen verlief sich das Wasser und wir konnten weiter, unser Schiff suchen, ohne Beute und sogar ärmer um Dinge, die wir mit in den Wald genommen hatten, sowie um viele Kameraden, nachdem der eiskalte Wind der Frühe unsere Kleider getrocknet hatte. Und erst gegen Mittag fanden wir die Bucht. Es war uns nicht sehr gut gegangen, wir hatten in kalten Wassern und unter dem Regen von Steinen gestanden und gefroren wie Hunde, die nachts auf eine Läufige warten, aber es mußten noch unsere Augen sein, die wir im Kopf hatten, und es war auch die Bucht, wir erkannten sie wie unsere Mutter an dem fetten Laub der Bäume. Nur von unserm Schiff, das doch zwei Segel aufgesteckt hatte und an diesen fettlaubigen Bäumen angeseilt war, konnten wir mit unseren geschwächten Augen nichts sehen. Nicht einmal der Strick hing noch irgendwo. Aber zwischen den Bäumen heraus harpfte der Klumpfuß von St. Marie, bleich und etwas verlotst im Gewand, und schwenkte den Steiß, als sei alles gut aufgehoben. Dann sagte er zu Bargan, wo er denn gesteckt habe, er warte seit Stunden mit Schmerzen, es sei niemand da und ob man ihn allein unter den wilden Tieren lassen wolle? Bargan sah ihn nur an und fragte nicht einmal nach dem Schiff, sondern ging von uns weg und an Croze vorbei in die Stämme hinein, als suche er was, was man von weitem nicht so gut sieht. Uns aber sagte Croze nur schnell über die Achsel, das Schiff sei fortgewesen, als er gekommen

17

sei, es sei voll von Schuften gewesen oder der Wind und die Flut habe die Seile zerrissen. Dann hinkte er seinem Freund nach, wohl weil er unsre Gesichter richtig beurteilte.

Wir standen zwischen den Bäumen herum mit schwachen Knien und schauten uns die Augen aus dem Kopf; aber wenn einer seine Brille verloren hat, kann er nichts mehr sehen und seine Brille auch nicht mehr finden; aus demselben Grund. Er bleibt für alle Ewigkeit blind, wenn ihm keiner hilft. Also konnten auch wir unser Schiff nicht mehr einholen, wenn uns nicht Flügel wuchsen, und dazu hätten wir vorher zumindest krepieren müssen. Dennoch wollten wir nicht die Flinte wegwerfen, für die wir kein Pulver mehr hatten, wenn nur Bargan wieder gesund gewesen wäre. Wir schickten also einige Leute zu ihm und sie fanden ihn auf einer Wurzel sitzend, den Arm um Crozes Schulter. Da sagten sie ihm in dürren Worten, er sei schuld an der Hinschlachtung der siebenzig, an den sieben Toten im Steinbruch, daran, daß viele von uns in unbekannter Richtung fortgeschwommen seien und daß das Schiff in den Himmel gefahren sei; daran sei er, Bargan, schuld, nicht etwa der Klumpfuß von St. Marie, denn den hätten sie beim erstenmal wie einen fetten Hund ersäuft. Jedoch wollten sie ihn, Bargan, bitten, sie jetzt weiter zu führen, denn er sei alles wert. Aber Croze wollten sie schnell niederlegen und nicht unter sieben Schuh tief eingraben. Sie wollten lieber vor Ekel eine Warze abbeißen, als daß sie den ganzen Mann wegwarfen. Dieses hörte Bargan mit großer Ruhe an. Und als sie ausgeredet hatten, fragte er sie: Was sie zu tun gedächten, wenn er seinen Freund nicht im Stiche ließe, auf einige Verdachtsgründe hin, die nicht stichhaltig seien. Da fingen sie an, ihm alles vorzurechnen und fügten Beweis auf Beweis, wie Croze zuletzt noch den Mann weggeschickt habe, von dem er wußte, daß er ihm auf die Finger sehen würde mit der Botschaft, die ihn und alle andern ins Wasser tauchen sollte, während er selber das Schiff besorgte. Und während ihnen beim Reden nur noch alles durchsichtiger wurde, saß der Klumpfuß von St. Marie grinsend auf seinem Baumstumpf und fuhr mit der gespreizten Hand durch das schwarze Haar, das er lang zurückgekämmt trug und das vor Schmutz in glatten Strähnen zusammenklebte. Aber Bargan fragte, was sie also zu tun gedächten, wenn er nun einmal nicht wolle. Da ging den Unsern ein Licht auf, was es für eine Bewandtnis mit Bargan habe, daß er alles selber wußte, besser wie sie, und doch den fetten Hund nicht aufgeben wollte, Gott weiß warum. Sie kehrten also wortlos um und sagten uns alles.

Wir wurden nun sehr traurig, denn wir merkten es alle, daß dem Bargan jetzt eben etwas zustieß, was diesem Mann nicht an seiner Wiege noch an den Särgen seiner Feinde gesungen worden war und was jeden von uns treffen kann: Daß wir in der hellen Sonne mit vollen Segeln verunglücken. Das geschah aber mit Bargan, als er allein mit dem Klumpfuß von St. Marie im Gehölz saß und einen dicken Kopf machte. Wir schwatzten nicht lang, weil der beste Mann von uns einen Krebs gekriegt hatte, sondern machten das Kreuzzeichen in der Luft und einen scharfen Schnitt zwischen ihm und uns. Einige wollten ein Säcklein Datteln dalassen für ihn, der nichts hatte als den Freund, der ihn verriet, aber wir waren alle dagegen, daß man einen Leichnam mit Speisen vollstopft, wenn die Lebendigen leere Magen haben. Also gingen wir weg, ohne daß wir Bargan noch einmal sahen, der uns sehr lieb gewesen war, an einem warmen Tag im Sommer und in dem Gehölz an der Marienbucht in Chile.

Zwei Tage lang fahndeten wir auf das Schiff mit dem Gefühl im Leib, daß ein Krebs keinen Windhund einholen kann, aber dann fanden wir auf der Bucht einen Kasten schwanken mit zwei Segeln, der stark wie St. Patriks Weihnachtskrippe aussah, wie ein Zwillingsbruder von unserm Schiff.

Der Zwillingsbruder schwamm mitten in voller Mittagssonne. Wenn wir bis zur milden Abenddämmerung hätten warten können, wäre es eine kleine Spazierfahrt mit Eiern und Weinpullen gewesen, St. Patriks Weihnachtskrippe mit unserm Besuch zu beehren; denn ein hübsches Floß war schneller gebaut als wir einstens unsere liebe Schale erworben hatten. Jedoch schien die liebe Schale ihre Fracht bereits innen zu haben, denn sie mißbrauchte mit allen Tüchern den Wind, obgleich er, der die Sachlage wohl witterte, sich reichlich bitten ließ und sie so schlecht segelten, als seien sie frisch aus der Steuermannsschule auf einen modernen Zweimaster losgelassen worden. Immerhin mußten wir uns beeilen und so sprangen wir aufs Floß und ruderten mit gewaltiger Behaglichkeit auf unsern fetten Fisch zu. Er vertrödelte seine kostbare Zeit, bis wir in Schußweite lagen, mit höchst possierlichen Tanzübungen, und wir lagen in den Riemen wie bei eines anderen Mannes Weib und als hätten wir das Floß gestohlen. Dann pfiffen die ersten Kugeln über uns weg zum Willkommssalut. Einer von uns, der seinen Pulverbeutel am Hals gerettet hatte, schoß auch, der Ehre wegen, aber da geschah etwas, was uns sehr über die Rücken hinunterlief. Auf unsern ersten Schuß erschien an der Reling aufrecht eine gute Zielscheibe, die wir gut kannten und die mit Namen Bargan hieß. Wir waren nicht erfreut, daß der Mann Bargan hieß, der unsere Schale so schnell als möglich auf die hohe See hinausbringen wollte, ohne daß wir dabei waren. Und jetzt verließ er sich so fest auf unser weiches Herz, daß er alle seine neuen Schiffsmannschaften deckte gegen unsere Schüsse! Wir wußten noch nicht, daß wir ihm unrecht taten, als wir nicht mehr schossen, weil *er* es war.

Als wir auf das Schiff kletterten – Bargan selbst ließ ein Seil herunter – war es dort still wie in der Kirche und nichts zu sehen. Bargan selber war keine Sehenswürdigkeit mehr, er hatte ein schlechtes Kleid an, das ihm wohl sein Freund

Croze geschenkt hatte, und er hätte besser getan, wenn er eine Maske aufgesetzt hätte, so wenig konnte er mit seinem neuen Gesicht Staat machen. Aber er sah wohl so aus, weil er ein so schlechtes Kleid anhatte. Guten Tag, sagten wir, auf St. Patriks Weihnachtskrippe, du hast wohl auf uns gewartet? Nein, sagte er. So bist du wohl sehr allein, fragten wir und schielten nach den Treppen. Nein, sagte er. Da sahen wir, daß er nicht mehr herausbringen konnte als *ein* Wort, und weil das wenig ist für einen Mann wie es Bargan gewesen war, schämten wir uns unseres ungerechten Zorns und fragten ganz mild: Du hast wohl das Schiff wieder gefunden? Sie waren uns wohl entgegengefahren und dann kamen sie wieder zurück? Damit wollten wir ihm draufhelfen, weil er wie ein Kind dastand und wir es nicht ertrugen. Aber er brachte seinen Mund auf und sagte: Nein, es sei nicht so. Da sahen wir, daß er nicht lügen konnte, das hatte er nicht gelernt. Und wir ließen ihn stehen und stiegen ins Schiff hinab und er blieb stehen am gleichen Platze unbeweglich, als sei er ein Gefangener.

Unten im Schiff fanden wir denn auch die lieben Burschen, die seinerzeit aus der Stadt ausgewandert waren und sich mit Regnen beschäftigten und Pulver mit schwerer Mühe in Brunnen wälzten und zuletzt zur Erholung eine kleine Partie auf St. Patriks Weihnachtskrippe für nicht zu viel hielten. Sie hockten an den Wänden herum und unterhielten sich mit Zittern. Mitten drin saß auf einer Seilrolle ihr lieber Gott, der Klumpfuß von St. Marie, fett und schamlos und schaute uns entgegen wie seinen Hochzeitsgästen; nur sein Schädel zitterte etwas und seine Vorderansicht war etwas bleich beim Grinsen. Wir erlaubten uns die ergebenste Frage, was er momentan glaube, nach seiner Religion, seinen geschäftlichen Erwartungen, der Zukunft seiner ungeborenen Kinder und was er von einem Leben nach dem Tode halte. Dann stellte einer die Frage, warum sie so sündhaft gesteuert hätten, wo

doch Bargan bei ihnen sei? Da kam es heraus, daß Bargan
dazu angestellt sei, das Verdeck zu wischen, so wollte es der
Klumpfuß, und sie hatten ihn mit Messern an den Wasch-
tisch geschleift; denn er sollte sich seine Mahlzeit auf Crozes
Schiff redlich verdienen. Wir waren eben dabei, dem lieb-
lichen Scheusal eines in die Zähne zu geben, da kam Bargan
die Treppe herunter und bat uns, wir sollten Croze in Ruhe
lassen und uns an *ihn* halten. Dabei machte er nicht viele
Worte. Da sahen wir uns an und einer warf, nur um was zu
sagen, eine kleine Frage in die schwarzen Abwässer, die lautete: Wißt ihr vielleicht etwas, wo die guten Jungen sind, die
das Schiff gegen Feinde verteidigen sollten, während wir die
Stadt eroberten und so große Beute machten? Aber es kam
keine Antwort aus dem Schlund des Untiers, der schwarz war
und verfaulte Zahnstumpen hatte, man erstickte drinnen. Da
verstanden wir, daß die armen Jungen fortgeschwommen
waren, um uns zu benachrichtigen, daß St. Patriks Weihnachtskrippe in die See stechen sollte und wir sollten uns
beeilen, wenn wir mitwollten. Und zwei von uns nahmen
Bargan ohne ein Wort zwischen sich und gingen mit ihm die
Treppe wieder hinauf, während wir andern in der halben
Dunkelheit unsre Hände der Erinnerung an unsre lieben
Brüder hingaben. Nur Croze ließen wir seinen Hals dick,
denn der ging hinter seinem Freund hinauf und wir wollten
ihn aufsparen.

Als wir hinaufkamen, sperrten wir den Klumpfuß von St.
Marie in einen Holzkäfig, in dem ein Affe gesessen hatte.
Bargan ließen wir herumlaufen, denn was nützt es mit einem
Mann zu reden, der eine Krankheit hat und über die Sterne
nachdenkt? Wir setzten die Segel auf und liefen aus der
Bucht.

Am Abend feierten wir die Wiederkunft sowie das Andenken
an unsere lieben Leichname, die jetzt, wie einer schön sagte,
unter dem milden Sternenlicht aufwärts schwammen, mit dem

Gesicht nach oben, irgendwohin mit einem Ziel, das man vergessen hat und wie einer, der keine Heimat hat, aber wohl Heimweh, mit einigen tüchtigen Schlucken Schnaps. Bargan ließ sich nicht sehen, erst ganz am Schluß, als die meisten schliefen, kam er zu mir her, der vor dem Holzkasten saß und wachte, und sagte: Willst du mich nicht in den Kasten hineinlassen oder hast du etwas dagegen? Er stand im Sternenlicht, ich sehe ihn noch heute und höre ihn auch noch und jetzt ist er doch schon lange abgehalst oder auch nicht, was weiß ich. Und zu der Frage brauchte er eine große Anstrengung. Man sah nicht in den Käfig hinein, aber drin saß der Klumpfüßige und hörte jedes Wort. Darum sagte ich und ließ in nichts von der Ehrfurcht nach, die ich immer vor ihm hatte, denn er war der beste Flibustierkapitän weit und breit bis nach Ecuador hinauf gewesen: Willst du nicht lieber in deine Kajüte gehen? Er besann sich und sagte: Hältst du etwas von dem Schiff? Ich sagte: Ich gäbe einiges darum. Da besann er sich wieder und sagte: Ich liebe den da drinnen. Da verstand ich ihn und konnte mich doch nicht recht halten und sagte: Und du gibst wohl nicht viel auf das Schiff? Das verstand nun er nicht, drum sagte er nach einer Weile: Aber ich bitte dich, laß uns fort! Ich muß sagen, daß ich etwas Branntwein in mir hatte, aber das griff mir doch ans Herz, daß er von dem Schiff fortwollte und davon gar nicht sprechen konnte und nur ›aber‹ sagte, worin alles lag, was er vorbringen konnte, und das alles las er sicherlich in meinem Gesicht, denn er fuhr fort: Wenn ich euch das Schiff lasse und ihr laßt mir den da, dann sind wir wohl quitt, ich meine, was mich betrifft, denn ich habe nicht viel mehr, was ich für ihn geben könnte. Ich überlegte mirs und er sagte noch: Freilich wärs auch eine Gnade; welches Wort ein Stich mit einem guten Messer in meine Krokodilshaut war. Ich überlegte mirs lang, und während der ganzen Zeit, wo wir unter leichtem Wind übers Wasser schaukelten, das man hörte, stand er ruhig da und ich konnte sein Gesicht nicht sehen, das im Dunkeln lag. Und obgleich wir mit jedem Windhauch tiefer in die See und weiter weg vom Land kamen, wo er hinwollte, sagte er nichts, um meine Entscheidung zu beeilen.

Ich aber dachte an sein ganzes Schicksal in dieser Nacht und alles lag klar vor mir wie eine Wiese in vollem Morgenlicht, die von einem Wald langsam gefressen wird und nur vorerst noch da ist. Dieser da hatte sein Geld auf eine Karte gesetzt und nun verteidigte er sie. Aber die Karte war eine Niete, und je mehr er draufsetzte, desto mehr flog auf, das sah er selber ganz genau, aber er wollte wohl sein Geld los haben, er konnte nicht mehr anders. So ging es ihm, der ein großer Mann war, eine Anstrengung Gottes, so konnte es jedem von uns gehen, mitten im Licht wurde man überfallen, so unsicher sind wir alle auf diesem Stern.

Und dann sperrte ich den Käfig auf und trug den fetten Croze mit eigenen Händen in das kleine Boot, und Bargan ging hinter mir her. Er sah nicht nach rechts noch nach links, als er ins Boot stieg, und es war doch sein Schiff, auf dem er zehn Jahre lang nicht immer Gutes getan hatte, wiewohl Gutes darunter war, aber doch gelebt hatte und viel gearbeitet und gerecht gewesen war und ein Ansehen hatte, er sah es nicht an, als er zu seinem Freund ins kleine Boot stieg, und er redete auch nichts.

Und in der Nacht, als er langsam fortruderte und ich ihm nachsah, dann sah ich ihn niemals wieder, hörte auch nichts von ihm, noch von dem Klumpfuß, fiel mir manches ein über das Leben auf diesem Stern, und ich kam Gott näher als in vielen Gefahren, in denen ich selber war.

Denn ich verstand mit einem Male Gott, der wegen einem so räudigen, fetten Hund, der kein Messer wert war, den man nicht schlachten, sondern verhungern hätte lassen sollen, einen solchen Mann wie Bargan hingab, für den es keinen Vergleich gibt, der ganz und gar dafür geschaffen wurde, den

Himmel zu erobern. Und der nun, nur weil er etwas haben wollte, dem er nützen konnte, sich an diesen Aussatz gehängt hatte und alles sein ließ für ihn und wohl noch froh war, daß es kein guter Mann war, den er liebte, sondern ein böses gefräßiges Kind, das ihn ausschlürfte wie ein rohes Ei, mit einem einzigen Zug. Denn ich will mich vierteilen lassen, wenn er nicht noch Genuß daran hatte, an dem kleinen Hund, auf den er sein Auge geworfen hatte, mit allem, was sein war, zu Grunde zu gehen und drum alles sonst sein ließ.

Niemand weiß, wo der Bargan eigentlich hergekommen ist.
Viele aber meinen, er sei in den Wäldern geboren worden.
Solche Wälder gibt es ungeheure in Chile. Sie sind dort dick-
laubig und von fettem Grün und so verwirrt wie sonst nirgends, mit goldbraunen Tümpeln, in denen der Mord haust,
und vielen Niederschlägen, bissigen Tieren und gierig wach-
senden Drosselpflanzen, alles von einer großen Heiterkeit
und heller als im Norden. In die jungen Blattdächer brechen
Affenhorden in ihren mörderischen Kämpfen mit den faulenden
Schlangen, die in ihrer Jugend Mustangs verschlungen haben.
Die Sonne treibt grünes Gewindezeug gegen dorre vierschrötige Stämme und das Ungeziefer der brodelnden Teiche frißt
sich grinsend auf.
Es gibt etliche, die sagen, der Bargan sei in den Küstenstäd-
ten aufgewachsen, die einen lasterhaften Handel mit Gold,
Sklaven, Tabak und was weiß ich alles treiben und allesamt
wie kleine, vergiftete Zähne sind, im Maul einer faulen,
schillerhäutigen Schlange, die jung, faul und am Ausfallen
sind. Aber wer sein Gesicht noch selber gesehen hat, der
glaubt lieber an die Wälder.
Aber woher immer Bargan kam (in einer Ballade über ihn,
die in den Bars im Küstengebiet zu den kleinen spanischen Gi-
tarren häufig gesungen wird, heißt es, er sei auf einem Baum
gewachsen): er muß schön, rund und goldhäutig gewesen sein,
wie die Inkabronzen, die indianischen Götzen, die genau wie
goldene Früchte sind (an denen man sich übrigens die Zähne
ausbeißt!). Denn auch in späteren Jahren noch, zu allen Zeiten,
sah man ihm an, daß er irgendeinmal auch schön gewesen
sein mußte, und die Weiber schnupperten das auch auf, unter
seiner Blatterhaut und allerhand wenig Lieblichem.

Er war etwa vierzehn Jahre alt, als er auf den Feldern in Chile auftauchte, wo ihn Farmer in Arbeit nahmen. Es ist nicht ganz sicher, ich habe keinen von ihnen gesprochen, aber man erzählt es. In den ersten Wochen zeigte er, sagt man, Scheu vor den Leuten, arbeitete niemals mit dem Rücken gegen irgendjemanden und schlief nachts außerhalb der Palisaden. Er war groß und stark und wenn er auch seiner bösen und kalten Augen wegen alle abstieß, so hätte man sich doch an ihn gewöhnt, wenn er nicht sehr bald sich von jeder Arbeit gedrückt hätte. Denn er wurde fauler als ein Neger. Vor allem wollte er nie lange die gleiche Arbeit tun, ging mit Vorliebe aufrecht, wiegend und leicht, überhaupt wie ein Waldtier, er trat mit weichen Ballen auf. Das Singen einiger Männer bei der Arbeit in den Maisfeldern war ihm unangenehm, das Rauchen ekelte ihn an, und wenn sie ihm Branntwein in die Kehle schütteten zum Spaß, zeigte er heimtückisch das Gebiß und schlich ins Dunkle. Obwohl er gefährliche Schultern hatte, fing er gehörige Trachten Prügel, aber das machte ihm wenig aus, was immer die Burschen ihm darüber zukommen ließen, was sich für einen weißen Mann schicke. Er war faul und wollte in der Sonne liegen wie der Kies: essen und den Wind in den Ulmen beobachten, sowie die Insekten, die man mit dem Ohr auseinanderkennt, und die Tiere ihrerseits liefen ihm nach und redeten mit ihm in ihrer Sprache.

Die erste Geschichte, die in den Maisplantagen, habe ich von Edvard Glump, mit dem Bargan Zeit seines Lebens in seiner Sprache redete, einem schlechten Menschen, weiß Gott.

Es gab nach E. G. noch einen zweiten schlechten Arbeiter in der Pflanzung, einen breitschultrigen, gedörrten Mestizen, der Branntwein soff wie ein gelber Tümpel und dann in der Scheune nachts unverständliche Songs krächzte. Er schlich eine Zeit lang mit etwas zu gleichgültiger Visage zwischen den Maisstauden hinter Bargan her und griff ihm einmal zwischen die Beine, wofür ihn dieser auf den Magen boxte. Im Herbst verwickelte er sich in eine Feindschaft mit der ganzen Farm, da er in der Besoffenheit sich immerfort zu einem Küchenmädchen legte, die genau eingeteilt war. Er schlug dann Bargan vor, die Plantage in Brand zu stecken. Bargan, der ihn übrigens als einziger nicht mehr verachtete als die übrigen, hatte keine Lust dazu. Jedoch hatte er Lust, von der Farm weg zu kommen und als eine Abteilung Soldaten einmal zwischen den Palisaden kampierte, gefielen ihm zwar nicht ihr Geschrei und ihre Späße, aber daß sie marschierten und er sagte dem Farmer, daß er wegwolle. Der Farmer liebte ihn nicht, bezahlte ihn aber auch nicht und spuckte ihm also Kautabak ins Gesicht. Da machte er mit dem Mestizen, der seinerseits wieder das Küchenweib beschwatzte, für die Nacht die Flucht aus: sie sollte Pulver und ein Gewehr stehlen und alle drei wollten sich in der Pflanzung treffen. Sie tat es hauptsächlich des Jungen wegen; denn obwohl sie ein unzüchtiges Knäuel dürrer Glieder war und allerhand konnte, hatte sie ihn nie auf sich bekommen. Sie gab ihm abends das Pulver und wartete in der Pflanzung auf ihn. Der Mestize stellte sich ein und sie warteten auf Bargan, als die Farm laut wurde mit vielen Stimmen und einige Schüsse in den Mais fielen. Sie lagen eng zusammengedrückt hinter einem Kehrichthaufen an einer vollen Scheune und begannen sich trotz der Gefahr etwas zu vergnügen, als ein roter Schein nicht weit von ihnen wuchs und ein Prasseln in den braunen Pflanzen entstand. E. G. sagt, so etwas knattere etwa wie wenn man Katzen das Fell ansengt. Bargan hatte fliehend das Erwachen der Farm bemerkt und rasch den Mais angezündet. Er war Gottseidank dürr und brannte rasend gegen die Farm hin vor. Dort gab es Menschen und Tiere und kein Wasser und wenn man nur mit den Ohren aufpaßte, wie bei den Insekten, dachte man nur an Tiere; es ist ungefähr wie wenn Katzen in sehr

28

hohem Ton schreien, nicht das gewöhnliche Miauen, sondern anhaltendes Brüllen, aber dünner. In dem Mais selber lagen steif das Halbblut und der Gliederhaufen, die auf Bargan gewartet hatten und wurden schnell schwarz. Bargan aber hatte Mühe mit den Pferden, die unruhig geworden waren, als er an ihrem Kraal vorbeigeschlichen war und durch Stampfen die Farm geweckt hatten und Bargan hatte sich bei ihnen zu lang aufgehalten vor er anzündete und jetzt ritt er mit ihnen die dunklen Straßen nach dem Süden hinunter, worauf zwei Tage vorher die Soldaten marschiert waren.

Man erzählt, damals sei es zum erstenmal gewesen, daß Bargan beinahe gehängt wurde, als ihn Farmer mit den zwanzig Pferden erwischten. Er hatte keinen Namen und sprach keine Sprache und sah keinem Vorbild ähnlicher als einem Pferdedieb. Man sagt, sie hätten ihn schon, auf ihren Pferden in den Bügeln stehend, hochgehoben, als er einen widernatürlichen Schrei ausgestoßen und dadurch ihre Pferde scheu gemacht habe, mit einem Satz in das Baumgeäst geflogen und dort über ihren Köpfen, von Baum zu Baum springend wie ein großer Affe verschwunden sei.

Wir bekamen später auf das Schiff einen Mann namens Patry, der zur damaligen Zeit Soldat gewesen war bei dem Trupp, zu dem Bargan stieß und der sagte, er sei ohne Pferde, nur mit einer zerrissenen Hose bekleidet, zu ihnen gekommen. Man habe ihn für die Pferde verwendet, da er sich sonst mit niemand verständigen konnte.

Patry setzte sich oft zu ihm und brachte ihm einige Worte bei und er sagt, er habe niemals einen Burschen gesehen, der ihm in einem halben Jahr, voll von Gefechten, Hunger, Anstrengungen so fremd geblieben sei. Man hätte ihn in einen Wald lassen können, wo nichts war als Baum um Baum, ohne daß er etwas gebraucht hätte, sowenig langweilte er sich.

Cesare Malatesta beherrschte die kleine Stadt Caserta schon
in einem Alter von vierzehn Jahren, und die Geschichtsschrei-
bung der Campagna verlegt den Mord, den er an seinem um
zwei Jahre jüngeren Bruder verübte, in sein siebzehntes Lebensjahr. Zwanzig Jahre lang mehrte er ständig durch Kühn-
heit und Witz Ruhm und Besitztum, und sein Name erweckte
Furcht auch bei denen, die ihn liebten – nicht einmal so sehr
der Schläge wegen, die er austeilen, sondern mehr noch der
Schläge wegen, die er aushalten konnte. Aber in seinem ein-
unddreißigsten Lebensjahr verwickelte er sich in eine kleine,
peinliche Angelegenheit, an der er wenige Jahre später zu-
grunde ging. Heute gilt er in der ganzen Campagna als der
Schandfleck Italiens, der Kummer und der Dreck Roms.
Dies trug sich auf folgende Art zu.
Im Laufe einer Unterhaltung mit Francesco Gaja, der ebenso
durch seine feine Lebensart als durch seine abgründige Gemeinheit berühmt war, machte der Malatesta unter anderen
Scherzen, die seinen Gast höchlichst belustigten, auch eine
witzige Bemerkung über einen entfernten Verwandten des
Papstes, ohne zu ahnen, daß es auch ein entfernter Verwand-
ter der Gajas war. Nichts an dem Verhalten des Gastes deutete auf diese Tatsache hin. Die beiden schieden in großer
Freundschaft unter Austausch feiner Höflichkeiten und indem sie sich für den Herbst zu einer Jagd zusammenbestell-
ten. Nach dieser Unterhaltung hatte Cesare Malatesta noch
drei Jahre zu leben.
Sei es, daß der Gaja, der inzwischen Kardinal geworden war,
durch Geldgeschäfte in Anspruch genommen wurde, sei es,
daß er keine Lust verspürte, einige Zeit im Freien zuzubrin-
gen: Cesare Malatesta hörte zwei Jahre nichts mehr von ihm

– mit Ausnahme einiger höflicher, aber kühler Briefzeilen, die eine Bitte um Entschuldigung enthielten, weil es ihm unmöglich war, jene Vereinbarung zur Jagd einzuhalten. Zweiundeinhalbes Jahr aber nach jener Unterredung fing Francesco an, ein Heer zu sammeln. Niemand in der Campagna hatte eine Mutmaßung, wem diese Rüstung gelte, und er selber verriet nichts von seinen Absichten; da der Papst nicht Einhalt tat, mußte es den Türken oder den Deutschen gelten.

Cesare Malatesta schickte ihm, als er erfuhr, daß der Heereszug des Kardinals seine Stadt Caserta berühren würde, einige Leute mit höflichen Einladungen entgegen. Diese Leute kamen nicht zurück. Cesare hatte zu dieser Zeit mit einem unverschämten Mönch zu schaffen, der in einem kleinen Ort unweit Casertas in unziemlicher und stilistisch barbarischer Weise von ihm zu den hergelaufenen Casertanen redete. Er hatte den Mönch ergreifen und in den Kerker werfen lassen, aber einige Tage darauf schon war er geflohen und mit ihm seine Wächter. Das Gerede der Leute von seinem Brudermord, das der Mönch wieder in Schwung gebracht hatte, verstummte in Zukunft nicht mehr in Caserta. Das Erstaunen darüber, daß vier seiner besten Leute zusammen mit einem Verhafteten, der ihn beschimpft hatte, weggelaufen waren, vermehrte sich, als eines Morgens drei weitere Diener, darunter einer, der schon seinen Vater angekleidet hatte, fehlten. Wenn er abends vom Castell herab auf der Mauer ging, sah er häufig Leute beisammen stehen und über ihn reden. Erst als das Heer des Gaja schon nur mehr zwei Stunden von Caserta entfernt lagerte, erfuhr Cesare anläßlich eines Gesprächs mit einem Bauern der Umgebung, daß der Feldzug des Gaja ihm selber gelte. Er glaubte es nicht, bis ihm Gesindel nachts ein Papier ans Tor des Castells nagelte, auf dem Francesco Gaja alle Söldner und Diener des Malatesta aufforderte, diesen unverzüglich zu verlassen. Auch erfuhr

31

Cesare auf diesem Zettel, daß der Papst ihn exkommuniziert und zum Tode verurteilt habe. Am Vormittag dieser Lektüre verschwanden die letzten Leute aus dem Castell.

Und nun begann jene grauenvolle und eigentümliche Belagerung des einzelnen Mannes, die jene Zeit als einen gelungenen Witz empfand und auch belachte.

Auf einem Rundgang durch Caserta, den der Verstörte mittags antrat, entdeckte er, daß sich in keinem der einzigen Häuser noch ein Mensch aufhielt. Einzig eine Menge herrenloser Hunde schloß sich an, als er, von einem Gefühl völliger Fremdheit seiner Vaterstadt gegenüber befallen, eiliger als sonst gehend in das verwaiste Castell zurückkehrte. Abends konnte er vom Turm aus den Ring sehen, den das Heer des Gaja um die verlassene Stadt zu legen anfing.

Er schloß das schwere Holztor des Castells eigenhändig mit dem Riegel zu und legte sich ohne gegessen zu haben (es war seit Mittag niemand mehr da, ihm ein Essen vorzusetzen) schlafen. Er schlief schlecht und erhob sich kurz nach Mitternacht unruhig, um nach dem verhältnismäßig großen Aufgebot zu schauen, das er auf den Hals bekommen hatte wie eine Krankheit, ohne zu wissen warum. Er sah trotz der vorgeschrittenen Nachtzeit noch Lagerfeuer brennen und hörte den Gesang von Betrunkenen herüber.

Am Morgen kochte er sich etwas Mais, den er halb verbrannt hungrig aufaß. Damals konnte er noch nicht kochen. Er lernte es jedoch noch, bevor er starb.

Er verwendete den Tag dazu, sich zu verschanzen. Er schleppte Felsbrocken auf die Mauer und legte sie so, daß er, an ihr entlanglaufend, sie mit wenig Mühe hinabschmeißen konnte. Die breite Zugbrücke, die er allein nicht hochbringen konnte, zog er zusammen mit den zwei Pferden, die ihm geblieben waren, hoch; es blieb noch eine schmale Planke stehen, die mit einem Fußtritt zu entfernen war. Er ging am Abend nicht mehr in die Stadt, da er von nun an Überfälle befürchtete. Alle die nächsten Tage lag er oben auf seinem Turm auf der Lauer; er bemerkte nichts Auffälliges. Die Stadt blieb ausgestorben und der Feind vor ihren Toren richtete sich anscheinend auf eine lange Belagerung ein. Einmal, als Cesare auf der Mauer spazierte, denn die Zeit begann ihm lang zu werden, schossen einige Scharfschützen auf ihn. Er lachte, da er glaubte, sie trafen ihn nicht – es war ihm noch nicht klar geworden, daß sie sich übten, ihn *nicht* zu treffen.

Es war dies alles zur Herbstzeit. Auf den Feldern der Campagna wurde schon eingeerntet und er konnte gut sehen, wie sie auf den gegenüberliegenden Höhen den Wein einbrachten. Die Lieder der Erntenden mischten sich mit denen der Soldaten und niemand von den Leuten, die noch vor einer Woche in Caserta gewohnt hatten, kehrte je wieder dorthin zurück. Es hatte sich in einer Nacht eine Pest aufgemacht und alle gefressen außer einen.

Die Belagerung dauerte drei Wochen. Gajas Absicht und Witz war es, solange zu warten, bis der Belagerte Zeit gehabt hätte, sein ganzes Leben in Gedanken noch einmal durchzugehen, um die Stelle zu finden, die faul gewesen war. Außerdem wollte er warten, bis alle Leute der ganzen Campagna eingetroffen waren, das Schauspiel der Hinrichtung Cesare Malatestas zu sehen. (Die Leute kamen, oft mit Weib und Kind, bis von Florenz und Neapel her.)

All die drei Wochen standen Haufen herbeigeströmter Landleute und Städter gegenüber dem Mauerhügel von Caserta, mit Fingern zeigend und wartend und all die drei Wochen ging morgens und abends der Belagerte auf der Mauer spazieren. Allmählich erschien seine Kleidung vernachlässigt; er schien in den Kleidern zu schlafen und sein Gang wurde schleppender, welches von seiner schlechten Nahrung herrührte. Sein Gesicht war wegen der weiten Entfernung nicht erkennbar.

Am Ende der dritten Woche sahen ihn die außen seine

Zugbrücke herablassen und drei Tage lang und einen halben schrie er auf dem Turm seines Castells in alle Richtungen Unverständliches wegen der allzu großen Entfernung. Aber all die Zeit setzte er keinen Fuß aus dem Bereich der Mauern und kam nicht heraus.

Die letzten Tage seiner Belagerung, welche in die vierte Woche fielen, als schon die ganze Campagna und viele Menschen allerlei Standes im Lager von Caserta angekommen waren, ritt Cesare auf seinen Pferden stundenlang die Mauern entlang. Man nahm wohl nicht ohne Grund im Lager an, daß er bereits zu schwach war, zu gehen.

Viele erzählten später, als alles herum war und die Leute wieder zu Hause waren: Einige, die nachts trotz strengen Verbots Francescos sich an die Mauer herangeschlichen hätten, hätten ihn auf der Mauer stehen sehen und zu Gott und dem Teufel schreien hören, sie möchten ihn doch töten. Sicher scheint, daß er bis in seine letzte Stunde und auch da nicht wußte, warum dies alles sei und sicher, daß er nicht danach gefragt hat.

Am sechsundzwanzigsten Tag der Belagerung ließ er mit großer Mühe die Zugbrücke herab. Zwei Tage später verrichtete er unter den Augen des ganzen feindlichen Lagers auf der Mauer seine Notdurft.

Seine Hinrichtung geschah durch drei Henkersknechte am neunundzwanzigsten Tage der Belagerung, mittags gegen elf Uhr, ohne Widerstand von seiner Seite. Der Gaja, der übrigens diese letzte und etwas billige Wendung seines Spaßes nicht abwartend, weggeritten war, ließ auf dem Marktplatz von Caserta eine Denksäule errichten, auf der stand: »Hier ließ Francesco Gaja den Cesare Malatesta erschlagen, den Schandfleck Italiens, den Kummer und den Dreck Roms!«

So gelang es ihm, einen entfernten Verwandten dadurch zu ehren, daß er seinen Verhöhner, einen Mann nicht ohne

Verdienste, dem Angedenken Italiens lediglich als Verfasser eines einzigen Witzes einprägte, den der Gaja zwar seiner Pointe nach vergessen zu haben vorgab, den er aber nicht hatte hingehen lassen können.

Betrachtungen bei Regen

Meine Großmutter sagte oft, wenn es längere Zeit regnete:
»Heute regnet es. Ob es je wieder aufhört? Das ist doch ganz
fraglich. In der Zeit der Sintflut hat es auch nicht mehr aufgehört.« Meine Großmutter sagte immer: »Was einmal war,
das kann wieder sein – und: was nie war.« Sie war vierundsiebzig Jahre alt und ungeheuer unlogisch.

Damals sind alle in die Arche gegangen, sämtliche Tiere einträchtig. Das war die einzige Zeit, wo die Geschöpfe der Erde
einträchtig waren. Es sind wirklich alle gekommen. Aber der
Ichthyosaurus ist nicht gekommen. Man sagte ihm allgemein,
er solle einsteigen, aber er hatte keine Zeit an diesen Tagen.
Noah selber machte ihn darauf aufmerksam, daß die Flut
kommen würde. Aber er sagte ruhig: »Ich glaub's nicht.« Er
war allgemein unbeliebt, als er ersoff.

»Ja, ja«, sagten alle, als Noah schon die Lampe in der Arche
anzündete und sagte: »Es regnet immer noch«, »ja, ja, der
Ichthyosaurus, der kommt nicht.« Dieses Tier war das älteste
unter allen Tieren und auf Grund seiner großen Erfahrung
durchaus imstande auszusagen, ob so etwas wie eine Sintflut
möglich sei oder nicht.

Es ist leicht möglich, daß ich selber einmal in einem ähnlichen Fall auch nicht einsteige. Ich glaube, daß der Ichthyosaurus an dem Abend und in der hereinbrechenden Nacht
seines Untergangs die Durchstecherei und Schiebung der Vor-
sehung und die unsägliche Dummheit der irdischen Geschöpfe
durchschaut hat, als er erkannte, wie nötig sie waren.

Von den Eseln heißt es, daß sie die Sintflut noch nicht erlebt haben, sie sollen erst viel später und nach allen anderen Tieren vom lieben Gott gemacht worden sein, weil er in seiner Schöpfung doch noch eine Lücke erkannte. Diese Lücke soll von den Eseln ausgefüllt worden sein. Dieser Anschauung widerspricht allerdings, daß es eine Geschichte über die Sintflut gibt, die sich gerade unter den Eseln bis auf den heutigen Tag fortgepflanzt hat und die folgendermaßen lautet:

Unter den Söhnen Noahs war besonders wichtig der dicke Ham. Er hieß der dicke Ham, obwohl er nur an einer Stelle dick war, und das kam so: wie man auch aus anderen Berichten weiß, war die ganze Arche aus reinem Zedernholz gebaut. Und zwar mußten die Holzstämme so dick sein wie ein Mann.

Einige Wochen lang während des Baues stellte sich, wie bekannt, Japhet neben die Bäume hin, bevor sie gefällt wurden. Bäume, die dünner waren als Japhet, wurden zum Bau der Arche einfach nicht benutzt. Aber dann in den letzten Tagen, als es schon furchtbar regnete, wollte Japhet nicht mehr im Zedernwald herumstehen und bat seinen Bruder Ham, an seiner Statt sich neben die Zedern zu stellen.

Ham aber war der dünnste unter den Söhnen Noahs.

Dann kam die Sintflut und die Arche kam ins Schwimmen. Noah bemerkte gleich, daß die Arche ganz ausgezeichnet schwamm, aber an einer Stelle, da war sie zu dünn. Die Arche war ungeheuer lang und breit, und sie hatte auch einen gewaltigen Tiefgang, und die eine Stelle, die zu dünn war, war nur so groß wie die Sonnenscheibe am Mittag. Aber durch diese Stelle drang eben das Wasser ein.

Da sagte Noah zu seinen Söhnen: »Welcher war das?«

Da sagten die Söhne zu Noah: »Das war Ham.«

Darauf sagte Noah zu Ham: »Stehe auf, Ham, und komme

her zu der Stelle, die zu dünn ist, und lasse dich nieder und setze dich darauf.«

Ham setzte sich nieder, da war das Loch zu.

Es steht genau in der Bibel verzeichnet, wie lange Ham auf dieser Stelle saß, denn er saß so lange, bis die Sintflut aus war. Als die Sintflut dann aus war und Ham aufstand, war die Stelle an Ham, die auf der dünnen Stelle an der Arche lag, sehr dick geworden. Ham selber aber war dünn wie zuvor. Durch diese Eigentümlichkeit seines Leibes war Ham für viele Dinge ziemlich unbrauchbar geworden, aber wann immer eine Sintflut kommt, und eine Arche gebaut wird, und eine Stelle davon zu dünn ist, dann ist Ham unentbehrlich.

Das ist die Geschichte, die den Eseln von der Sintflut besonders in Erinnerung geblieben ist.

Weniger bekannt in unserer Zeit ist es, wie sehr ein der Allgemeinheit geleisteter Dienst der Entschuldigung bedarf. So ehrten die höflichen Chinesen ihren großen Weisen Laotse mehr als meines Wissens irgendein anderes Volk seinen Lehrer durch die Erfindung folgender Geschichte. Laotse hatte von Jugend auf die Chinesen in der Kunst zu leben unterrichtet und verließ als Greis das Land, weil die immer stärker werdende Unvernunft der Leute dem Weisen das Leben erschwerte. Vor die Wahl gestellt, die Unvernunft der Leute zu ertragen oder etwas dagegen zu tun, verließ er das Land. Da trat ihm an der Grenze des Landes ein Zollwächter entgegen und bat ihn, seine Lehren für ihn, den Zollwächter, aufzuschreiben, und Laotse, aus Furcht unhöflich zu erscheinen, willfahrte ihm. Er schrieb die Erfahrungen seines Lebens in einem dünnen Buche für den höflichen Zollwächter auf und verließ erst, als es geschrieben war, das Land seiner Geburt. Mit dieser Geschichte entschuldigen die Chinesen das Zustandekommen des Buches Taoteking, nach dessen Lehren sie bis heute leben.

Sie saßen auf Korbstühlen in Havanna und vergaßen die Welt. Wenn es ihnen zu heiß wurde, tranken sie Eiswasser, abends tanzten sie Boston im Atlantic-Hotel. Sie hatten alle vier Geld.

In den Zeitungen stand über sie, daß sie große Leute wären. Wenn sie es dreimal gelesen hatten, warfen sie die Zeitungen ins Meer. Oder sie hielten die Zeitungen mit zwei Händen fest und durchbohrten sie mit der Schuhspitze. Drei von ihnen hatten vor zehntausend Menschen Rekorde geschwommen, der vierte die Zehntausend auf die Beine gebracht. Als sie ihre Gegner geschlagen und die Zeitungen gelesen hatten, schifften sie sich ein. Mit gutem Geld in den Taschen kehrten sie zurück nach New York.

Diese Geschichte könnte man eigentlich nur unter Jazzbegleitung richtig erzählen. Sie ist von A bis Z poetisch. Sie fängt an mit Zigarrenrauch und Gelächter und endet mit einem Todesfall.

Es war nämlich einer unter ihnen, bei dem stand es fest, daß er seinen Karpfen auch aus einer Konservenbüchse angeln konnte. Er war ein sogenanntes Glückskind. Er hieß Johnny Baker. Der Glücksjohnny. Er war einer der besten Kurzstreckenschwimmer beider Hemisphären. Aber bei ihm war es sein lächerliches Glück, das einen Schatten über jeden seiner Erfolge warf. Denn wenn ein Mann sozusagen aus jeder Papierserviette einen Dollarschein herauswickelt, so wird man mißtrauisch gegen seine geschäftlichen Talente, auch wenn er ein Rockefeller wäre. Und mißtrauisch, das waren sie.

Er hatte in Havanna ebenso gesiegt wie die beiden andren. Er hatte über 200 Yards um eine Körperlänge gewonnen. Aber es war wieder einmal nicht zu verheimlichen gewesen, daß der beste Mann außer ihm das Klima nicht vertragen hatte und indisponiert gewesen war. Johnny selber sagte natürlich, man würde ihm auf jeden Fall irgend sowas anhängen und von seinem ›Glück‹ faseln, wenn er einfach und gut geschwommen hätte. Und wenn er das sagte, dann lächelten die zwei andern.

So war der Tatbestand, als die Geschichte anfing, und sie fing an mit einem kleinen Pokerspiel. Es war zu langweilig auf dem Schiff.

Der Himmel war blau, und das Meer war auch blau. Die Getränke waren gut, aber sie waren immer gleich gut. Die Zigarren konnte man ebenso gut rauchen wie andere Zigarren. Kurz: der Himmel, das Meer, die Getränke und die Zigarren waren nicht gut.

Mehr versprachen sie sich von einem kleinen Pokerspiel. Kurz vor den Bermudas fingen sie an. Sie setzten sich bequem hin dazu: jeder benutzte zwei Stühle. Sie einigten sich gentlemanlike über das Arrangement ihrer Stühle. Des einen Füße lagen neben des andern Ohr. So begannen sie kurz vor den Bermudas ihren Untergang herbeizuführen.

Da Johnny wegen gewisser Andeutungen beleidigt war, begannen sie zu dritt. Einer gewann, einer verlor, einer hielt sich. Sie spielten vermittels Blechmarken, die je fünf Cent darstellten. Dann wurde einem von ihnen auch diese Sache langweilig, und er nahm seine Füße aus der Partie. Johnny ersetzte ihn. Jetzt war die Sache sofort nicht mehr langweilig. Johnny gewann nämlich immer. Was Johnny nicht konnte, war Pokerspielen, was Johnny aber konnte, war: beim Pokerspiel gewinnen.

Wenn Johnny bluffte, war es so lächerlich zu bluffen, daß kein Pokerspieler der Welt sich getraut hätte, mitzugehen. Und wenn ein Mann, der Johnny kannte, hinter ihm einen Bluff vermutet hätte, dann legte Johnny nichtsahnend einen flush auf den Tisch.

Johnny selber spielte noch nach zwei Stunden völlig leiden-
schaftslos. Die beiden andren waren aber warm geworden.
Als der vierte Mann nach den zwei Stunden aus der Küche
zurückkehrte, wo er beim Kartoffelschälen zugesehen hatte,
gewahrte er, daß die Blechmarken eben wieder verteilt wurden und jetzt einen Dollar darstellten. Diese kleine Erhö-
hung war die einzige Möglichkeit für Johnnys Partner, wieder zu einem Teil ihres Geldes zu kommen. Es war ganz
einfach so: sie mußten aus ihm das Geld scheffelweise wieder
herausholen, das er ihnen centweise abgewonnen hatte. Auch
Familienväter hätten in diesem Fall nicht vorsichtiger spielen können. Aber wer scheffelte, war Johnny.

Sie spielten zunächst sechs Stunden. Während dieser ganzen
sechs Stunden hätten sie noch in jedem Moment aus dem Spiel
herausgehen können, ohne mehr als den Ertrag ihres Havan-
nasieges bei Johnny gelassen zu haben. Nach diesen sechs Stunden Kummer und Anstrengung konnten sie es nicht mehr.

Es war Zeit zum Abendessen. Sie erledigten das Essen in aller
Kürze. Statt der Gabeln fühlten sie streets zwischen den Fin-
gern. Sie aßen Steaks und dachten an royal flushs. Der vierte
Mann aß bei weitem langsamer. Er sagte, er habe wirklich
Lust, sich an der Sache zu beteiligen, jetzt sei wenigstens
etwas Schwung in die öde Plätscherei gekommen.

Nach dem Abendessen fingen sie wieder an, zu viert. Sie spielten acht Stunden. Sie hatten die Bermudas hinter sich gelassen, als Johnny gegen drei Uhr morgens ihr Geld zählte.

Sie schliefen fünf Stunden ziemlich schlecht und fingen wieder an. Es waren Leute, die auf jeden Fall auf Jahre hinaus
ruiniert waren. Sie hatten noch einen Tag Fahrt vor sich,
nachts um zwölf Uhr sollten sie nach New York kommen. An
diesem Tag mußten sie zusehen, daß sie nicht auf Lebenszeit
zugrundegerichtet wurden. Denn es saß da einer unter ihnen,
der ihnen mit schlechtem Pokerspiel das Mark aussaugte.

Vormittags, als ihnen mehrere Schiffe die Nähe der Küste an-

42

zeigten, begannen sie um ihre Wohnungen zu spielen. Johnny gewann noch zu allem dazu ein Piano. Dann gönnten sie sich zwei Stunden Mittagsruhe, und danach standen sie in einer erbitterten Schlacht um die Anzüge, die sie auf dem Leibe trugen. Nachmittags um fünf Uhr sahen sie sich gezwungen, weiterzugehen. Der Mann, der nach den Bermudas erst eingesprungen war und, während die andren schon ihre Gabeln nicht mehr erkannt hatten, noch ganz ruhig gegessen hatte, bot um diese Zeit Johnny aus freien Stücken an, mit ihm um sein Mädchen zu spielen, das heißt, wenn Johnny gewänne, solle er das Recht haben, mit irgendeiner Jenny Smith den Witwenball der Liedertafel in Hoboken zu besuchen, aber wenn er verliere, solle er alles zurückgeben müssen, was er allen abgenommen hatte. Und Johnny hatte angenommen.

Er hatte sich zuerst informiert.

»Und du selber gehst nicht mit?«

»Ich denke nicht daran.«

»Und du nimmst es nicht übel?«

»Ich nehme es nicht übel.«

»Auch ihr nicht?«

»Was heißt das: auch ihr nicht?«

»Nun, dem Mädchen Jenny nimmst du es nicht übel?«

»Nein, zum Teufel, auch ihr nehme ich es nicht übel.«

Und dann gewann Johnny.

Wenn Sie ein Spiel machen, gewinnen, Ihren Gewinn in die Tasche stecken, Ihren Hut lüften und weggehen, dann haben Sie sich in einer Gefahr befunden und sind daraus entkommen. Wenn Sie aber ein Herz im Leibe haben, sitzen bleiben und Ihren Partnern eine Gelegenheit geben, dann werden Sie, ausgenommen den Fall, daß Sie im Armenhaus enden, mit Ihren Partnern vereint auch durchs Leben zu gehen haben: Sie werden sich in Ihr Leben verhacken wie Geier. Sie müssen zum Pokerspielen ein ebenso hartes Herz haben wie zu irgendeiner anderen Form der Expropriierung.

Von dem Moment an, wo Johnny, weil ein anderer Mann heraussprang, in das Spiel gegangen war, hatte Johnny den anderen nachgegeben. Sie hatten ihn gezwungen, einige tausend Karten anzuschauen, sie hatten seinen Schlaf gestrichen, und sie hatten dafür gesorgt, daß er seine Mahlzeiten hinunterschlang wie ein Rekordarbeiter. Es wäre ihm am liebsten gewesen, wenn er beim Immerweiterspielen sein Steak an einem Bindfaden über seinem Platz aufgehängt und alle sechs Stunden danach geschnappt hätte. Es war Johnny ungeheuer zuwider.

Als er nach dem Spiel um das Mädchen, das fast nach seiner Ansicht dem Faß den Boden durchgeschlagen hatte, vom Tisch aufstand, meinte er naiverweise, sie hätten genug. Sie hatten mit ihm angebunden, obwohl sie sein Glück kannten, wohl weil sie dachten, daß er vom Pokern so wenig verstand wie ein Lokomotivführer von Geographie. Aber der Lokomotivführer hat eben Schienen, die etwas von Geographie verstehen: der Mann kommt eben von New York nach Chicago und nirgends anders hin. Genau nach diesem System hatte er gewonnen, und jetzt handelte es sich höchstens darum, wie er ihnen seine Gewinne wieder zurückgeben konnte, ohne sie bis aufs Blut zu beleidigen.

Johnnys Herz war Johnnys Fehler. Er besaß zuviel Taktgefühl.

Er sagte sogleich, sie sollten sich nichts daraus machen, es sei natürlich alles Spaß gewesen. Sie gaben keine Antwort. Sie saßen da, wie sie seit gestern gesessen hatten, und schauten den Möwen zu, die jetzt häufiger geworden waren.

Johnny entnahm daraus, daß sie der Ansicht waren, über 24 Stunden Pokerspiel sei etwas, was mit Spaß nichts mehr zu tun hätte.

Johnny stand an der Reeling und dachte nach. Dann hatte er es. Er schlug ihnen vor, zunächst einmal mit ihm zur Erholung zu Abend zu essen. Natürlich auf seine Kosten. Es

schwebte ihm eine größere Veranstaltung vor, eine ausge-
lassene Sache, ein richtig luxuriöses Essen. Er wollte selber die
Getränke mixen, die die Zunge lösten. Es kam unter den ob-
waltenden Umständen nicht auf die Kosten an. Er dachte sogar
an Kaviar. Johnny versprach sich sehr viel von diesem Essen.
Sie sagten nicht nein.

Sie nahmen es ohne direkte Begeisterung auf, aber sie würden jedenfalls mitkommen. Es war sowieso Essenszeit.

Johnny ging weg und bestellte. Er ging in die Küche und
behandelte den Koch wie ein rohes Ei. Er wollte sich und
seinen Freunden eine Mahlzeit aufgetischt wissen, eine Haupt-
mahlzeit, die alles, was eine erstklassige Schiffsküche auf
diesem Gebiet je zwischen Havanna und New York geleistet
hatte, in den Schatten stellte. Johnny erholte sich sehr in dem
einfachen Gespräch mit dem Koch.

Während dieser halben Stunde wurde oben auf Deck kein
Wort gesprochen.

Johnny richtete selber unten den Tisch her. Neben seinen
Platz stellte er ein Extratischchen, auf dem er die Getränke
anordnete. Er brauchte, um zu mixen, nicht aufzustehen.
Seine Gäste ließ er durch den Koch herunterholen. Sie kamen
mit gleichmütigen Gesichtern und setzten sich rasch wie zu einer gewöhnlichen Mahlzeit. Es kam wenig Stimmung auf.

Johnny hatte gedacht, daß sie bei einer Mahlzeit zugängli-
cher würden. Im allgemeinen wird man beim Essen aufge-
knöpft, und das Essen war ausgezeichnet. Sie aßen reichlich,
aber es schien ihnen doch nicht zu schmecken. Sie aßen das
frische Gemüse wie Erbsensuppe und die gebratenen Hühner
wie Kantinenspeck. Sie schienen ihre eigene Ansicht über
Johnnys Gastmahl zu haben. Einmal griff einer nach einem
hübsch glasierten Porzellantöpfchen und fragte: »Ist das
Kaviar?« Und Johnny antwortete wahrheitsgemäß: »Ja, der
beste, den man auf diesem verwahrlosten Kasten auf den
Tisch bringen kann.« Der Mann nickte und aß das Töpfchen

mit einem Löffel aus. Gleich darauf zeigte einer von ihnen den andern eine besonders verpackte Mayonnaiseangelegenheit. Und da lächelten sie. Dies wie einiges andere an ihrem Benehmen entging dem Gastgeber nicht.

Aber erst beim Kaffee ging es Johnny auf, daß es eine Unverschämtheit von ihm gewesen war, sie zu einem Essen einzuladen. Sie schienen kein Verständnis dafür zu haben, daß er von dem gewonnenen Geld einen gemeinnützigen Gebrauch machen wollte. Sie schienen überhaupt vielleicht erst jetzt auf den Ernst ihrer Verluste gekommen zu sein, wo sie sehen mußten, wie ihr Geld für solche sinnlosen Essereien hinausgeworfen wurde. Es ist dies ungefähr wie mit einer Frau, die von Ihnen weg will. Wenn Sie einen hübschen Abschiedsbrief lesen, dann verstehen Sie sie vielleicht, aber wenn Sie sie mit einem andren Mann in eine Taxe steigen sehen, dann merken Sie erst, was los ist.

Johnny war ernstlich betroffen.

Es war acht Uhr abends. Man hörte schon von außen das Tuten der Schleppdampfer. Es waren noch vier Stunden bis New York.

Johnny hatte ein dunkles Gefühl, daß es unerträglich sein würde, mit diesen ruinierten Leuten in dieser nackten Koje vier Stunden lang zusammen zu sitzen. Es hatte aber nicht den Anschein, daß er einfach aufstehen und weggehen konnte.

In dieser Lage erkannte Johnny noch einmal seine einzige Chance. Er schlug ihnen vor, mit ihm noch einmal um das Ganze zu spielen.

Sie setzten die Kaffeetassen nieder, räumten die halbgeleerten Konservenbüchsen auf die eine Ecke des Tisches. Sie verteilten noch einmal die Karten.

Sie spielten wieder wie am Anfang mit den Blechmarken um Geld. Es fiel Johnny auf, daß sich die drei weigerten, über einen bestimmten Einsatz hinauszugehen. Sie nahmen also das Spiel von neuem ernst.

Johnny hatte gleich beim ersten Geben wieder eine street in der Hand. Trotzdem ging er schon bei der zweiten Runde aus dem Spiel und überließ ihnen den Einsatz. Er hatte entschieden etwas gelernt.

Beim zweiten Spiel und beim dritten, wobei die Einsätze jedesmal gesteigert wurden, ließ er sie bluffen und ging so weit mit, wie er konnte. Aber dann sagte einer von ihnen, ihm ruhig und voll ins Gesicht blickend: »Spiel anständig.« Und darauf spielte er einige Male wie früher und gewann wie früher. Und dann kam er in eine eigentümliche Lust hinein, so zu spielen, wie es sich eben gab, und seine Chance wahrzunehmen wie jeder andere, wo er sie hatte. Und dann sah er ihre Gesichter wieder, und daß sie kaum noch in ihre Karten hineinblickten, sondern sie warfen sie ganz einfach weg, und da wurde er ganz mutlos. Er wollte wieder verkehrt spielen, aber jedesmal, wenn es darauf ankam, etwas falsch zu machen, fühlte er sich so beobachtet, daß er es nicht wagte. Und wenn er aus Unverstand schlecht spielte, dann spielten sie noch schlechter, weil sie nur an sein Glück glaubten. Seine ganze Unsicherheit aber hielten sie für pure Bosheit. Immer mehr glaubten sie zu sehen, daß er mit ihnen nur spielte wie die Katze mit der Maus.

Als er alle Spielmarken wieder vor sich liegen hatte, standen alle drei auf, nur er blieb noch etwas sitzen, gedankenlos, zwischen den Karten und den Konservenbüchsen. Es war elf Uhr, eine Stunde vor New York.

Vier Männer und ein Spiel Pokerkarten in einer Koje auf der Fahrt von Havanna nach New York.

Sie hatten noch etwas Zeit. Da die Luft in der Koje sehr stickig war, wollten sie noch etwas hinaufgehen. Sie versprachen sich etwas von der frischen Luft. Der Gedanke an frische Luft schien sie in bessere Stimmung zu versetzen. Sie fragten sogar Johnny, ob er mit ihnen auf Deck kommen wolle.

Johnny wollte nicht auf Deck gehen.

Als die drei sahen, daß Johnny nicht auf Deck gehen wollte, fingen sie an, großen Wert darauf zu legen.

Da verlor Johnny zum ersten Mal völlig die Nerven und machte den Fehler, daß er nicht sogleich aufstand. Wahrscheinlich dadurch gab er ihnen Gelegenheit, auf seiner Stirn längere Zeit Angst zu lesen. Und das wieder brachte sie auf einen Entschluß.

Johnny ging fünf Minuten später, ohne ein Wort zu verlieren, mit auf Deck. Die Treppe war breit für zwei. Es schickte sich so, daß einer Johnny vorausging, einer hinter ihm und einer ging an seiner Seite die Treppe hinauf.

Als sie oben waren, war die Nacht kühl und neblig. Das Deck war feucht und glitschig. Johnny war froh, daß er sich in der Mitte halten konnte.

Sie gingen am Steuer vorbei, an dem ein Mann stand, der sie nicht beachtete. Als sie schon vier Schritte von ihm weg waren, hatte Johnny das Gefühl, etwas verpaßt zu haben. Aber da gingen sie schon dem Heck zu, an der Bordwand hin.

Als sie aber an der Bordwand standen, wollte Johnny seinen Plan ausführen und laut schreien. Aber dies unterließ er, und zwar merkwürdigerweise wegen des Nebels; denn, wenn die Menschen schlecht sehen, dann meinen sie, man höre sie auch schlecht.

Von der Bordwand aus stießen sie ihn ins Wasser.

Sie saßen dann wieder in der Koje, aßen die halbleeren Dosen aus, schütteten die Getränkereste zusammen und fragten sich, drei Männer und ein Spiel Pokerkarten auf der Fahrt von Havanna nach New York, ob Johnny Baker, der jetzt wohl hinter dem mit seinem roten Bordlicht entschwindenden Schiff herschwamm, so gut schwimmen könne, wie er beim Pokern gewinnen konnte.

Aber so gut *kann* einer gar nicht schwimmen, daß er sich vor den Menschen rettet, wenn er auf der Welt zuviel Glück hat.

Zu den wenigen Ereignissen meines ereignisarmen Lebens, die auf mich Eindruck machten, gehört, wegen eines Hundes, das Erdbeben von San Franzisko.

Ich war zweiunddreißig Jahre alt und stand allein in der Welt, als ich in San Franzisko eine Dogge kennen lernte. Ich wohnte im sechsten Stockwerk eines baufälligen Häuserkomplexes und benutzte mit anderen Mietern zusammen einen schlecht geweißten und stinkenden Flur. Dort war es, wo ich der Dogge einige Male am Tage begegnete. Sie gehörte einer fünfköpfigen Familie, die in einem einzigen Zimmer hauste, das nicht größer als meines war. Es waren schlecht aussehende Leute mit unreinlichen Gewohnheiten, die ihren Kübel mit übelriechendem Abfall tagelang vor der Tür herumstehen ließen. Den Hund zu beschreiben widersteht mir. An meine erste Begegnung mit dieser Dogge erinnere ich mich nicht. Ich nehme aber an, daß die erste Empfindung der Dogge bei meinem Anblick Angst gewesen sein wird und daß auch ich (wahrscheinlich deswegen) ein unangenehmes Gefühl hatte. Jedenfalls zog erst die offenkundige und durch nichts begründete Abneigung des Tieres meine Aufmerksamkeit auf dasselbe. Der Hund zog, mich erblickend, mochte er auch noch so wild mit den übrigens unglaublich schmutzigen Kindern tollen, sofort den Schweif ein und verzog sich begossen um die Ecke oder noch lieber durch eine offenstehende Tür. Ja einmal, als ich ihn, um ihm seine törichte Furcht, wegen der mich, wie ich zu beobachten glaubte, die Kinder schon scheu anstierten, zu nehmen, zu streicheln versuchte, zitterte er sogar und, ich schildere dies nur mit Widerwillen, sein Haar muß sich gesträubt haben, denn ich wunderte mich im ersten Moment über sein steifes Fell, und es fiel mir erst

später ein, daß man in diesem Fall sagt: das Haar sträubt
sich.

Hätte ein Mensch mir gegenüber eine solche Haltung einge-
nommen, wäre die Vermutung nahe gelegen, er verwechsle
mich mit einem andern; aber ein Hund! Ich erinnere mich,
daß ich von allem Anfang an die Angelegenheit keineswegs
unterschätzte. In den nächsten Tagen brachte ich der Dogge
mitunter etwas mit, Freßbares, Knochen. Sie beschnupperte
das Fleisch nicht einmal, sie wich scheu aus und verdrückte
sich mit einem unbeschreiblich hinterhältigen und dabei fas-
sungslosen Blick von unten herauf. Fast immer war sie in
einem Haufen von skrofulösen Kindern versteckt, sichtbarlich
der trostlosen Brut des Abschaums. Der ganze Häuserblock
stank nach nässenden Bälgen. Ich konnte der Dogge nur sel-
ten allein habhaft werden, und ich hütete mich natürlich, ihr
in Gegenwart von Augenzeugen gegenüberzutreten. Dennoch
spürten die Kinder auf irgendeine verdammte Weise meine
doch gewiß harmlosen Annäherungsversuche auf, und die
Folge davon war nicht etwa, daß sie meine Gutmütigkeit an-
erkannten, sondern daß sie mit Fingern nach mir zeigten.
Dabei war ich überzeugt, daß die Dogge von ihren Leuten
nicht genug zum Fressen erhielt, wahrscheinlich nicht einmal das Nötigste. Natürlich fehlte es mir auch an Zeit zum
Studium des Hundes. Ich konnte, da ich tagsüber in der Auto-
mobilfabrik zu arbeiten hatte, nur abends meinen Unterhal-
tungen nachgehen. Immerhin beobachtete ich eine ganze Anzahl von Leuten in ihrem Verkehr mit der Dogge. Da war
zum Beispiel ein Mieter von nebenan, der mit ihr, wenn auch
nicht gerade ausgezeichnet, so doch ausreichend auskam. Er
benützte, um sie anzulocken, einen bekannten Schnalzer mit
Daumen und Mittelfinger. Er erreichte dadurch nicht sel-
ten, daß sie sich unbedenklich an seinem schmutzigen Hosen-
bein rieb. Ich übte den übrigens leicht erlernbaren Kunstgriff
sogar ein, besaß aber doch noch genügend Schamgefühl, ihn

nicht zu verwenden. Einer alten Frau aus dem Haus lief der Hund nach, wenn immer er dieselbe erblickte. Die Alte, eine unangenehme Person mit einer Fistelstimme, die durch Mark und Bein ging, konnte den Hund nicht einmal leiden, sie verscheuchte ihn immer mit einer Einkaufstasche und ganz ohne Erfolg. Er wich zu ihrem Ärger nicht von ihr. Ein geschminktes Mädchen der Nachbarschaft unterhielt sich oft mit der Dogge, indem sie ihr die Halsfalten kraulte. Als ich diesem Mädchen, dessen Gewerbe übrigens ihre Sache ist, einmal auf dem Autobus gegenüberstand, merkte ich, daß sie unangenehm aus dem Mund roch. Solche, vielleicht an und für sich gleichgültige oder harmlose Eigenschaften lassen nach meiner festen Überzeugung immer auf irgendeine tiefere Mißbildung schließen. Es wunderte mich, daß die Dogge, die anscheinend doch äußerst instinktsicher war, von diesem Umstand bei dem Mädchen keine Notiz nahm. Diese Wahrnehmung ließ mich denn auch eine kurze Zeit an dem Instinkt des Tieres zweifeln, ich dachte, es seien vielleicht doch ganz äußerliche Eigenschaften an mir, die die Dogge abstießen. Es schien mir unwahrscheinlich, aber ich wollte in diesem Falle nichts versäumen. Ich wechselte sowohl meine Anzüge als meine Kopfbedeckung, und ich ließ meinen Stock weg. Alles das tat ich, wie man sich denken kann, nur äußerst ungern, ich übersah keinen Augenblick das Beschämende darin, aber es schien mir für mich nichts anderes übrig zu bleiben. Ein einschneidendes Ereignis in der Sache belehrte mich, wie nahe mir alles das ging.

Leider mußte ich in diesen Tagen eine beschwerliche Reise nach Boston antreten, da ich begründeten Verdacht hatte, daß mein jüngerer Bruder sich durch merkwürdig geschickte Manipulationen aus dem Erbteil unserer Mutter einen Vorteil verschaffen wollte. Als ich, übrigens ohne daß ich etwas ausrichten konnte, da es auch bei offenkundigem Unrecht auf der Welt immer an Beweisen fehlt, zurückkehrte, war die

Dogge verschwunden. In der ersten Erregung darüber traf es mich besonders schwer, daß sie einfach entlaufen war, ich dachte, es würde mich weniger enttäuscht haben, wenn ein Packauto sie entzweigefahren hätte. Es bewies mir von neuem die mir nur allzu bekannte unfaire Haltung des Planeten seinen Geschöpfen gegenüber, daß ein Hund, der für mich von Interesse war, seinem Herrn entlief. Er, dessen Äußerungen meiner Person gegenüber mir so lächerlich wichtig erschienen, war selbst natürlich von schlechter Rasse. Um so peinlicher empfand ich meine Unruhe, als er ausblieb. Meine Nachforschungen, verbunden mit einer hohen Belohnung, schafften ihn wieder herbei, aber mein Mißtrauen verfolgte ihn von nun an bis an sein unrühmliches Ende. Natürlich betrachtete ich die Dogge, nach der Mühe, die mir ihre Wiedererlangung verursacht hatte, als mein Eigentum. Daß die Familie, der sie offiziell gehörte, tat, als wisse sie nichts davon, wieviel ihre Dogge mich gekostet hatte, war in meinen Augen nur um so schlimmer für sie. Ich hatte nicht Lust, länger als Luft behandelt zu werden.

Kurze Zeit nach ihrer Rückkehr sah ich die Dogge wieder einmal neben dem Mieter von nebenan den Korridor entlang gehen. Als er am Fenster zum Lichthof stehen blieb, um seine Pfeife zu stopfen, rieb sie sich wieder einmal an seinem Bein. Der Mann nahm keine Notiz davon. Dies berührte mich sehr unsympathisch. Auf meine Erkundigung erfuhr ich, daß er in dem Zimmer gegenüber als Aftermieter der fünfköpfigen Familie wohnte. Im Laufe der nächsten Tage fragte ich, allerdings ohne den geringsten Nachdruck darauf zu legen, den Hausmeister, ob es seines Wissens erlaubt sei, daß Mieter in ihren Zimmern weitere Mieter beherbergten. Er gab mir etwas verlegen die Auskunft, er wisse es nicht, wolle aber, wenn ich es für richtig hielte, einen Brief an die Gesellschaft schreiben. Ich stellte es ihm frei, da mich die ganze Sache nichts anging.

Acht Tage später erblickte ich, als ich abends müde heimkam, einen Handkarren mit schlechten Möbeln vor unserem Haus. Auf der Treppe begegnete ich einem hustenden Mädchen mit zerstörter Brust, das eine Kommode heruntertrug. Ich sah daraus, daß der Brief des Hausmeisters gewirkt hatte; es war demnach doch verboten, Aftermieter zu halten. Ich fand es nach einigem Nachdenken und Zuschauen hart für die Leute, zu allen übrigen Schwierigkeiten, an denen es ihnen sicherlich nicht fehlte (man brauchte nur ihre Kleider zu sehen) auch noch die Kosten eines Umzuges zu haben. Auch hatten sie bestimmt nicht zu ihrem Vergnügen oder aus Übermut ihr nicht allzu geräumiges Zimmer mit einem Fremden geteilt. Als ich sie daher, unter meiner Tür stehend und meine abendliche Pfeife rauchend, darüber reden hörte, was sie mit dem Hund anfangen sollten, hörte ich nicht nur meines Interesses an der Dogge wegen vielleicht etwas zu teilnehmend zu, und, auf diese Weise ins Gespräch gezogen und um meinen Rat angegangen, erklärte ich mich bereit, die Dogge zu mir zu nehmen. Es schien, daß sie sich unter den jetzigen Umständen einen so kostspieligen Luxus, wie ihn eine Dogge doch immerhin darstellt, nicht mehr leisten konnten; sie willigten ein, sie mir zu übergeben.

Ich gebe zu, daß ich mit der Entwicklung der Dinge, trotzdem sie einige Grausamkeiten in sich barg, nicht unzufrieden war, besonders weil ich immer der Überzeugung gewesen bin, daß die Dinge, wenn man sie mit einer gewissen Lässigkeit und ohne etwas Direktes zu tun, allerdings auch ohne etwas zu versäumen, laufen läßt, von selber am besten sich für einen anlassen.

Es war nicht ganz leicht, die Dogge in mein Zimmer zu transportieren. Sie stemmte sich mit großer Kraft degegen, übrigens ohne einen Laut von sich zu geben und ohne ein Auge von mir zu lassen. Ein starker Lederriemen, den ich mir schon vor acht Tagen gekauft hatte, leistete mir jetzt gute Dienste.

Der Anblick des Hundes war nicht erfreulich. Ich hielt ihn an ein Bein meines Bettes gebunden und solange ich im Zimmer weilte, blieb er stets unter dem Bett zurückgezogen und wenn ich mich ihm näherte, oder auch wenn ich nur zu Bett ging, zitterte er am ganzen Leibe, wenn ich aber fort war, das heißt, wenn ich durchs Schlüsselloch nach ihm schaute, trabte er rastlos vor dem Bett herum, indem er sich so weit davon entfernt hielt, als der nicht zu lange Lederriemen ihm erlaubte. Für Hundeliebhaber füge ich meine Beobachtung hinzu, daß es mit der den Hunden hartnäckig nachgesagten Trauer um entschwundene Herren Essig zu sein scheint. Es ist dieses allzu gern geglaubte Gerücht eine von den lächerlichen Ausgeburten menschlichen Eigendünkels. Ich konnte an meiner Dogge keine Spur von Traurigkeit entdecken.

Die Tatsache, daß sie nichts fraß, hatte eine ganz andere und wie ich glaube, für mich nicht schmeichelhafte Begründung. Sie nahm nichts aus meiner Hand. Drei Tage lang weigerte sie sich stumm, die Knochen anzunehmen, die ich für sie kaufte, ja, sie verschmähte sogar das reine Fleisch am dritten Tage, und sie nahm auch keinen Bissen von dem, was ich ihr hinstellte: sie fraß auch nichts, was in meiner Hand gewesen war.

Ich gesteh, ich geriet dadurch (sie wurde sichtlich magerer und fing an beim Herumtrotten zu schleppen) in Verlegenheit. In Augenblicken des Zorns dachte ich daran, sie auf diese Weise, einfach dadurch, daß ich ihr Fressen reichte, das sie nicht fraß, *hinzurichten*. Aber ich sah in kaltblütigeren Stunden ein, daß durch rohe Gewalt nichts bewiesen werden kann.

Deshalb lud ich einen mir oberflächlich bekannten jungen Mann, der in der Autohalle Schlosser war, zu mir ein, damit er ihr zu fressen gebe. Als ich ihn aber in meinem Zimmer hatte, schien es mir plötzlich ungemein schwierig, ihn einzuweihen, und die Unterhaltung ging trotz Zigaretten und

Limonade nur stockend vorwärts. Es war ein schlechtrassiger ungepflegter Mensch mit zu weichen Zähnen und wässerig roten Haaren. Es war schwer zu ertragen, ihn auf meinem Tisch sitzen zu sehen, und es wurde einem fast übel, ihn reden zu hören. Dabei hatte er die Gewohnheit, mich beim Reden fortgesetzt anzufassen, was ich nicht aushalten kann. Und dann spürte er auf, daß etwas nicht in Ordnung war bei mir, und wurde maßlos in seiner Bosheit. Er stieß arglistig nach der Dogge mit dem Fuß, redete lange Zeit scheinheilig und als verstände er nichts, merkte aber meine Betretenheit und erpreßte mir am Schluß, ohne mir selbst die ganze Aufklärung zu ersparen, die Bitte, der Dogge zu fressen zu geben. (Übrigens ist es auch möglich, daß er nichts gemerkt hat.)

Er tat es und zwar in der taktlosesten Weise, indem er sie fortgesetzt beschimpfte und ihr ihr liebloses Verhalten gegen mich vorwarf. So wurde die Dogge zwei Wochen hindurch allabendlich gefüttert.

Merkwürdigerweise wollte ich meine unbestimmte Hoffnung nie aufgeben, und ein Erdbeben war nötig, mich über die endgültige und unkorrigierbare Haltung des Planeten mir gegenüber zu belehren. Einige Zeit später fand das Erdbeben von San Franzisko statt. An diesem Tage verloren viele Menschen in der schwankenden Stadt ihr Leben. Ich aber verlor nur einen Anzug, einige Paar Stiefel und andere Utensilien und ich hätte also dieses Unglück vergessen können wie wenige andere, aber es war mir dies nicht bestimmt. Unter den sich mit immer größerer Wucht wiederholenden Erdstößen, in einem brennenden Haus, stand ich im Hemd der unerbittlichen Dogge gegenüber, deren Hinterteil durch eine geborstene Wand eingeklemmt war und, auf sie zutretend, um ihr beizustehen, las ich eine unbeschreibliche Angst vor mir, ihrem Retter, in ihren stumpfen Augen, und als ich zulangte, sie zu befreien, schnappte sie nach mir.

Seit diesem Morgen sind mir zwei Jahre vergangen. Ich

wohne jetzt in Boston. Meine Untersuchungen über die Dogge sind nach ihrem Tode noch nicht zum Abschluß gekommen. Was ist es, das sie bewegte, meine Hand von sich zu weisen? Ist es mein Auge, dessen Blick, wie ich schon gehört habe, mir bei einigen Menschen schon Erfolge verschafft hat, das aber das empfindlichere Tier abstieß? Ist es eine gewisse schlendernde Bewegung der Hände beim Gehen, die mir seit einiger Zeit in den Schaufensterscheiben an mir auffällt? Seit der Haltung jenes Tieres mir gegenüber denke ich unaufhörlich darüber nach, was für eine Art Mißbildung, denn eine solche muß es ja wohl sein, mich von anderen Menschen unterscheidet. Ja, seit einigen Monaten fange ich sogar an, zu glauben, daß es innere, tiefer gelegene Mißbildungen in mir sein könnten, und das Schlimmste ist, daß ich, je weiter ich meine Untersuchungen ausdehne und je mehr ich Abweichungen von der Norm an mir entdecke, und dann eine zu der andern lege, desto fester zu glauben beginne, daß ich den eigentlichen Grund niemals entdecken kann; denn gerade mein Geist ist es ja vielleicht, der nicht normal ist und überhaupt nicht mehr Abstoßendes als abstoßend erkennen kann. Ohne irgendeine Sympathie für so lächerliche Erscheinungen wie etwa die Heilsarmee mit ihren billigen Erweckungen, kann ich doch sagen, daß eine tiefgehende Veränderung meines ganzen Wesens, ob zum Guten oder Schlechten hin, nicht mehr geleugnet werden kann.

Wie vieldeutig die Haltung eines Menschen sein kann, zeigte
unlängst ein Vorfall in den Moszropom-Ruß-Film-Ateliers,
der vielleicht unbedeutend war und auch ohne Folgen blieb,
aber doch etwas Entsetzliches an sich hatte. – In den Ateliers
erschien während der Aufnahmen zu dem Film ›Der weiße
Adler‹, der die Pogrome in Südrußland vor dem Kriege darstellte und die Haltung der damaligen Polizei brandmarkte,
ein älterer Mann mit der Bitte um Beschäftigung. Er drang
in die Portierloge des äußeren Eingangs und sagte dem Portier, er erlaube sich, die Gesellschaft auf seine außerordentliche Ähnlichkeit mit dem berühmten Gouverneur Muratow
hinzuweisen. (Muratow, das war der Urheber jener blutigen
Metzeleien; er spielte die Hauptrolle in dem erwähnten
Film.)
Der Portier lachte ihn zwar aus, wies ihm aber, da er ein alter Mann war, nicht sogleich die Tür, und so stand der lange und dünne Mensch, die Mütze in der Hand, abwesend in
dem Gewimmel der Komparsen und Atelierarbeiter, anscheinend immer noch mit einer schwachen Hoffnung, durch
seine Ähnlichkeit Brot und Obdach für einige Tage zu er-
langen.
Beinahe eine Stunde stand der Mann so, immerfort auf die
Seite tretend, um Platz zu machen, am Schluß ganz hinter
ein Pult gedrängt, als er plötzlich doch noch Beachtung finden sollte. Es war gerade eine Pause in den Aufnahmen,
und die Darsteller zerstreuten sich in die Kantinen oder standen schwatzend herum. Der bekannte Moskauer Schauspieler
Kochalow, Darsteller des Muratow, ging in die Portierloge,
um zu telephonieren. Am Apparat stehend, wurde er von
dem grinsenden Portier angestoßen und, sich umwendend,

erblickte er unter dem schallenden Gelächter der Anwesenden den Mann hinter dem Pult. Kochalow war nach historischen Photographien geschminkt, und alle erkannten die ›außerordentliche Ähnlichkeit‹, von der der Mann hinter dem Pult dem Portier erzäht hatte.

Eine weitere halbe Stunde danach saß der Alte unter den Regisseuren und Operateuren wie der zwölfjährige Jesus im Tempel und besprach sein Engagement mit ihnen. Die Verhandlungen wurden sehr erleichtert dadurch, daß Kochalow von Anfang an wenig Lust dazu gehabt hatte, seine Volkstümlichkeit durch die Darstellung einer ausgemachten Bestie aufs Spiel zu setzen. Er war sofort einverstanden, daß ein Versuch mit dem ›Ähnlichen‹ gemacht würde.

Es war in den ›Moszropom-Ruß-Film-Ateliers‹ nichts Außergewöhnliches, daß historische Rollen statt mit Schauspielern mit ähnlichen Typen besetzt wurden. Diese Leute wurden nach ganz bestimmten Regiemethoden behandelt, und so schilderte man dem neuen Muratow einfach den nackten historischen Verlauf eines zur Darstellung gelangenden Vorfalls und bat ihn, zur Probe einmal diesen Muratow genau so zu spielen, wie er sich ihn vorstelle. Man hoffte nämlich, daß seiner körperlichen Ähnlichkeit mit dem wirklichen Muratow auch eine Ähnlichkeit im Auftreten entspräche.

Man wählte die Szene, in der Muratow die Deputation der Juden empfängt, die ihn beschwört, dem weiteren Morden Einhalt zu gebieten. (Manuskript Seite 17: Deputation wartet. Auftritt Muratow. Hängt Mütze und Säbel an Wandrechen. Geht an Schreibtisch. Blättert in Morgenzeitung usw.) Leicht geschminkt, in der Uniform des kaiserlichen Gouverneurs, betrat der ›Ähnliche‹ den Aufnahmeraum, dessen einer Teil den historischen Arbeitsraum im Gouvernementspalast darstellte, und vor dem ganzen Regiestab spielte er jenen Muratow, ›wie er ihn sich vorstellte‹. Er stellte ihn sich auf folgende Art vor: (Deputation wartet. Auftritt Muratow.) Der ›Ähnliche‹ tritt hastig durch die Tür. Hände nach vorn in den Taschen, schlechte, vornübergebeugte Haltung. (Hängt Mütze und Säbel an Wandrechen.) Diese Regieanweisung hat der ›Ähnliche‹ anscheinend vergessen. Er setzt sich sogleich, ohne abzulegen, an den Schreibtisch. (Blättert in Morgenzeitung.) Der ›Ähnliche‹ tut dies ganz abwesend. (Eröffnet das Verhör.) Er hat die sich verneigenden Juden überhaupt nicht angesehen. Er hat die Zeitung zögernd weggelegt, weiß anscheinend nicht wie er den Übergang zum Verhör der Deputation finden soll. Bleibt ganz einfach stecken und blickt gequält nach dem Regiestab.

Der Regiestab lacht. Einer der Assistenten stand grinsend auf, schlenderte, die Hände in den Hosentaschen, in die Szenerie, setzte sich zu dem ›Ähnlichen‹ auf den Schreibtisch und versuchte, ihm weiterzuhelfen.

»Jetzt kommt das Äpfelessen«, sagte er aufmunternd. »Muratow war bekannt durch das Äpfelessen. Seine Gouverneurtätigkeit bestand außer in seinen viehischen Erlassen hauptsächlich im Äpfelessen. Die Äpfel bewahrte er in dieser Schublade auf. Sehen Sie, da sind die Äpfel.« Er öffnet eine Schreibtischschublade zur Linken des ›Ähnlichen‹. »Die Deputation tritt also jetzt vor, und wenn der erste zu sprechen beginnt, dann essen Sie Ihren Apfel, mein Sohn.«

Der ›Ähnliche‹ hatte dem jungen Mann mit dringendster Aufmerksamkeit zugehört. Die Äpfel schienen Eindruck auf ihn zu machen.

Als die Szene wieder aufgenommen wurde, nimmt Muratow mit der Linken tatsächlich aus der Schublade langsam einen Apfel, und während er mit der Rechten auf dem Papier Buchstaben zu malen anfängt, verspeist er den Apfel, übrigens keineswegs besonders gierig, sondern gewohnheitsmäßig. Während die Deputation ihr Anliegen vorbringt, ist er jetzt wirklich nur mehr mit seinem Apfel beschäftigt. Nach einiger Zeit, in der er nicht zuhört, macht er mitten im Satz des einen

Juden eine fahrige Bewegung mit der rechten Hand, die den Satz abschneidet und die Angelegenheit überhaupt erledigt.

Jetzt drehte sich der ›Ähnliche‹ fragend nach den Regisseuren um und murmelte: »Wer führt sie ab?«

Der Chef-Regisseur blieb sitzen. »Ja, sind Sie schon fertig?«

»Ja, ich dachte, sie werden jetzt abgeführt.«

Der Chef-Regisseur sah sich grinsend um und sagte: »So einfach ist das ja nun nicht mit den Bestien. Etwas mehr müssen Sie sich schon anstrengen.« Und er stand auf und begann, die Szene noch einmal mit ihm durchzugehen.

»So benimmt sich keine Bestie«, sagte er. »So benimmt sich ein kleiner Beamter. Sehen Sie, Sie müssen denken. Ohne Denken geht es nicht. Sie müssen sich diesen Bluthund vorstellen. So im kleinen Finger müssen Sie ihn haben. Kommen Sie noch mal rein.«

Er begann die Szene nunmehr nach dramatischen Gesichtspunkten aufzubauen. Er verstärkte und charakterisierte. Der ›Ähnliche‹ stellte sich nicht ungeschickt an. Er machte alles, was man ihm sagte, er machte es nicht einmal schlecht. Er schien ebenso imstande, eine Bestie darzustellen wie jeder andere. Er hatte anscheinend nur wenig eigene Phantasie. Nach halbstündiger Arbeit sah die Szene folgendermaßen aus: (Auftritt Muratow.) Schultern zurück, Brust heraus, eckige Kopfbewegungen. Überfliegt von der Tür aus mit einem Geierblick die sich tief verneigenden Juden. (Hängt Mütze und Säbel an Wandrechen.) Der Mantel fällt ihm dabei herunter, er läßt ihn liegen. (Geht an Schreibtisch. Blättert in Morgenzeitung.) Er sucht die Theaternachrichten unterm Strich. Schlägt mit der Hand leicht den Takt zu einem Schlager. (Eröffnet das Verhör.) Indem er die Juden mit einer gemeinen Bewegung des Handrückens drei Meter zurückweist.

»Sie werden's nicht begreifen. Was Sie da machen, das geht nicht«, sagte der Chef-Regisseur. »Das ist ganz gewöhnliches Theater. Ein Bösewicht alter Schule. Lieber Mann, das ist nicht, was wir uns heute unter einer Bestie vorstellen. Das ist kein Muratow.«

Der Regiestab stand auf und fing an, auf Kochalow, der zugesehen hatte, einzureden. Alle sprachen gleichzeitig. Gruppen bildeten sich, das Wesen der Bestie wurde erörtert.

Auf dem historischen Stuhl des Generals Muratow, vornübergebeugte, schlechte Haltung, saß vergessen der ›Ähnliche‹, gequält vor sich hinstarrend, trotzdem horchte er. Er verfolgte anscheinend genau die Gespräche. Er bemühte sich, die Situation zu erfassen.

Auch die Darsteller der jüdischen Deputation beteiligten sich an der Erörterung. Eine Zeitlang hörte man auf zwei Komparsen, alte jüdische Einwohner der Stadt, die seinerzeit Mitglieder der genannten Deputation gewesen waren. Man hatte die Greise engagiert, um die Aufnahme noch naturgetreuer und charakteristischer zu gestalten. Sie fanden merkwürdigerweise, daß das allererste Spiel des ›Ähnlichen‹ nicht schlecht gewesen sei. Sie könnten nicht sagen, wie es auf andere, Unbeteiligte, wirke, aber auf sie habe seinerzeit gerade das Gewohnheitsmäßige und Bürokratische einen entsetzlichen Eindruck gemacht. Diese Haltung hatte der ›Ähnliche‹ ziemlich naturgetreu wiedergegeben. Auch wie er bei der ersten Aufnahme den Apfel gegessen habe, so ganz mechanisch, bei ihrer Unterredung habe übrigens Muratow keinen Apfel gegessen. Der Hilfsregisseur lehnte das ab, »Muratow hat immer Äpfel gegessen«, sagte er schneidend. »Waren Sie denn überhaupt dabei?«

Die Juden, die nicht in den Verdacht kommen wollten, nicht unter den damaligen Todeskandidaten gewesen zu sein, zogen sich erschrocken auf die Mutmaßung zurück, Muratow habe vielleicht kurz vor oder kurz nach ihrer Audienz Äpfel gegessen.

In diesem Augenblick entstand eine Bewegung unter der Gruppe, die den Chef-Regisseur und Kochalow umstand. Der

›Ähnliche‹ hatte sich, die vor ihm Stehenden beiseite schiebend, bis zu dem Chef gedrängt. Er fing an, mit einem hastigen und gierigen Ausdruck in seiner hageren Physiognomie auf sie einzureden. Er hatte anscheinend erkannt, was die Leute von ihm wollten, und in der Angst, sein Brot zu verlieren, war ihm eine Erleuchtung gekommen: er machte nunmehr einen Vorschlag.

»Ich glaube, ich weiß, was Ihnen vorschwebt. Es soll eine Bestie sein. Sehen Sie, das können wir doch mit den Äpfeln machen. Nehmen Sie einfach an, ich nehme einen Apfel und halte ihn dem Juden vor die Nase. ›Friß!‹ sage ich. Und während er – paß auf«, wandte er sich an den Darsteller des Führers der Deputation, »während du den Apfel frißt, bedenke, er bleibt dir in deiner Todesangst selbstverständlich in der Kehle stecken, aber du mußt den Apfel ja fressen, wenn ich, der Gouverneur, ihn dir gebe, übrigens ganz freundlich, von mir ist es ja eine freundliche Geste gegen dich, nicht wahr«, wandte er sich wieder an den Chef-Regisseur, »könnte ich ja dabei dann ganz nebenbei das Todesurteil unterzeichnen. Und er, der den Apfel ißt, sieht es.«

Der Chef-Regisseur sah ihn einen Augenblick starr an. Der Greis stand vorgebeugt, dürr und aufgeregt und erloschen vor ihm, einen ganzen Kopf größer, so daß er ihm über die Schulter sehen konnte, und einen Augenblick glaubte der Regisseur daran, daß der Alte ihn verhöhnen wollte, denn er glaubte einen schnellen und nicht greifbaren Hohn, etwas durchaus Verächtliches, Unstatthaftes in seinen flackernden Augen wahrzunehmen. Aber dann nahm Kochalow das Gespräch wieder auf.

Kochalow hatte scharf zugehört, an der von dem ›Ähnlichen‹ vorgeschlagenen Äpfelszene hatte sich seine schauspielerische Phantasie entzündet und, indem er den ›Ähnlichen‹ mit einer brutalen Armbewegung einfach wegschob, sagte er zum Stab: »Glänzend. So meint er das.« Und er begann ihnen die Szene vorzuspielen, und zwar so, daß ihnen das Herz im Leibe stockte. Das ganze Atelier brach, als Kochalow schweißtriefend das Todesurteil unterzeichnet hatte, in Händeklatschen aus.

Die Lampen wurden herbeigeschafft. Die Juden informiert. Die Apparate eingestellt. Die Aufnahme begann. Kochalow spielte Muratow. Es hatte sich eben wieder einmal gezeigt, daß bloße Ähnlichkeit mit einem Bluthund natürlich nichts besagt, und daß Kunst dazu gehört, um den Eindruck wirklicher Bestialität zu vermitteln.

Der ehemalige kaiserliche Gouverneur Muratow holte seine Mütze aus der Portierloge, grüßte unterwürfig den Portier und ging durch die Regenschauer des Herbstabends mühsam zur Stadt zurück, wo er in den Quartieren des Elends verschwand. Er hatte an diesem Tage zwei Äpfel gegessen und eine kleine Geldsumme ergattert, die für ein Nachtquartier ausreichte.

Nach dem ersten Weltkrieg sahen wir in der kleinen südfran-
zösischen Hafenstadt La Ciotat bei einem Jahrmarkt zur Feier
eines Schiffsstapellaufs auf einem öffentlichen Platz das bron-
zene Standbild eines Soldaten der französischen Armee, um
das die Menge sich drängte. Wir traten näher hinzu und ent-
deckten, daß es ein lebendiger Mensch war, der da unbeweglich in erdbraunem Mantel, den Stahlhelm auf dem Kopf, ein
Bajonett im Arm, in der heißen Junisonne auf einem Stein-
sockel stand. Sein Gesicht und seine Hände waren mit einer
Bronzefarbe angestrichen. Er bewegte keinen Muskel, nicht
einmal seine Wimpern zuckten.
Zu seinen Füßen an dem Sockel lehnte ein Stück Pappe, auf
dem folgender Text zu lesen war:

Der Statuenmensch
(Homme Statue)

Ich, Charles Louis Franchard, Soldat im ... ten Regiment,
erwarb als Folge einer Verschüttung vor Verdun die ungewöhnliche Fähigkeit, vollkommen unbeweglich zu verharren
und mich beliebige Zeit lang *wie eine Statue* zu verhalten.
Diese meine Kunst wurde von vielen Professoren geprüft und
als eine unerklärliche Krankheit bezeichnet. Spenden Sie, bitte,
einem Familienvater ohne Stellung eine kleine Gabe!

Wir warfen eine Münze in den Teller, der neben dieser Tafel
stand, und gingen kopfschüttelnd weiter.
Hier also, dachten wir, steht er, bis an die Zähne bewaffnet,
der unverwüstliche Soldat vieler Jahrtausende, er, mit dem
Geschichte gemacht wurde, er, der alle diese großen Taten
der Alexander, Cäsar, Napoleon ermöglichte, von denen wir

in den Schullesebüchern lesen. Das ist er. Er zuckt nicht mit der Wimper. Das ist der Bogenschütze des Cyrus, der Sichelwagenlenker des Kambyses, den der Sand der Wüste nicht endgültig begraben konnte, der Legionär Cäsars, der Lanzenreiter des Dschingis-Khan, der Schweizer des XIV. Ludwig und des I. Napoleon Grenadier. Er besitzt die eben doch nicht so ungewöhnliche Fähigkeit, sich nichts anmerken zu lassen, wenn alle erdenklichen Werkzeuge der Vernichtung an ihm ausprobiert werden. Wie ein Stein, fühllos (sagt er), verharre er, wenn man ihn in den Tod schicke. Durchlöchert von Lanzen der verschiedensten Zeitalter, steinernen, bronzenen, eisernen, angefahren von Streitwagen, denen des Artaxerxes und denen des Generals Ludendorff, zertrampelt von den Elefanten des Hannibal und den Reitergeschwadern des Attila, zerschmettert von den fliegenden Erzstücken der immer vollkommeneren Geschütze mehrerer Jahrhunderte, aber auch den fliegenden Steinen der Katapulte, zerrissen von Gewehrkugeln, groß wie Taubeneier und klein wie Bienen, steht er, unverwüstlich, immer von neuem, kommandiert in vielerlei Sprachen, aber immer unwissend warum und wofür. Die Ländereien, die er eroberte, nahm nicht er in Besitz, so wie der Maurer nicht das Haus bewohnt, das er gebaut hat. Noch gehörte ihm etwa das Land, das er verteidigte. Nicht einmal seine Waffe oder seine Montur gehört ihm. Aber er steht, über sich den Todesregen der Flugzeuge und das brennende Pech der Stadtmauern, unter sich Mine und Fallgrube, um sich Pest und Gelbkreuzgas, fleischerner Köcher für Wurfspieß und Pfeil, Zielpunkt, Tankmatsch, Gaskocher, vor sich den Feind und hinter sich den General!

Unzählige Hände, die ihm das Wams webten, den Harnisch klopften, die Stiefel schnitten! Unzählbare Taschen, die sich durch ihn füllten! Unermeßliches Geschrei in *allen* Sprachen der Welt, das ihn anfeuerte! Kein Gott, der ihn nicht segnete! Ihn, der behaftet ist mit dem entsetzlichen Aussatz der

Geduld, ausgehöhlt von der unheilbaren Krankheit der Unempfindlichkeit!

Was für eine Verschüttung, dachten wir, ist das, der er diese Krankheit verdankt, diese furchtbare, ungeheuerliche, so überaus ansteckende Krankheit?

Sollte sie, fragten wir uns, nicht doch heilbar sein?

DER ARBEITSPLATZ
oder
IM SCHWEISSE DEINES ANGESICHTS SOLLST DU KEIN BROT ESSEN

In den Jahrzehnten nach dem Weltkrieg wurde die allgemeine Arbeitslosigkeit und die Bedrückung der unteren Schichten immer größer. Ein Vorfall, der sich in der Stadt Mainz zutrug, zeigt besser als alle Friedensverträge, Geschichtsbücher und Statistiken den barbarischen Zustand, in welchen die Unfähigkeit, ihre Wirtschaft anders als durch Gewalt und Ausbeutung in Gang zu halten, die großen europäischen Länder geworfen hatte. Eines Tages im Jahre 1927 erhielt die Familie Hausmann in Breslau, bestehend aus Mann, Frau und zwei kleinen Kindern, in dürftigsten Verhältnissen, den Brief eines früheren Arbeitskollegen des Hausmann, in dem er seinen Arbeitsplatz anbot, einen Vertrauensposten, den er wegen einer kleinen Erbschaft in Brooklyn aufgeben wollte. Der Brief versetzte die Familie, die durch dreijährige Arbeitslosigkeit an den Rand der Verzweiflung gebracht war, in fieberhafte Aufregung. Der Mann erhob sich sofort von seinem Krankenlager – er lag an einer Rippenfellentzündung –, hieß die Frau das Nötigste in einen alten Koffer und mehrere Schachteln packen, nahm die Kinder an die Hand, bestimmte die Art, wie die Frau den jämmerlichen Haushalt auflösen sollte und begab sich trotz seines geschwächten Zustands auf den Bahnhof. (Er hoffte, durch das Mitbringen der Kinder für den Kollegen auf alle Fälle gleich eine vollendete Tatsache zu schaffen.) Mit hohem Fieber völlig apathisch im Bahnabteil hockend, war er froh, daß eine junge Mitreisende, entlassene Hausangestellte, auf der Fahrt nach Berlin, die ihn für einen Witwer hielt, sich seiner Kinder annahm, ihnen auch Kleinigkeiten kaufte, die sie sogar aus eigener Tasche bezahlte.

In Berlin wurde seine Verfassung so übel, daß er, nahezu bewußtlos, in ein Krankenhaus geschafft werden mußte. Dort starb er fünf Stunden später. Die Hausangestellte, eine gewisse Leidner, hatte, diesen Umstand nicht voraussehend, die Kinder nicht weggegeben, sondern sie mit zu sich in ein billiges Absteigequartier genommen. Sie hatte für sie und den Gestorbenen allerhand Auslagen gehabt, auch dauerten sie die hilflosen Würmer, und so fuhr sie, ein wenig kopflos, denn es wäre zweifellos besser gewesen, die zurückgebliebene Frau Hausmann zu benachrichtigen und herkommen zu lassen, noch am selben Abend mit den Kindern zurück nach Breslau. Die Hausmann nahm die Nachricht mit jener schrecklichen Stumpfheit auf, welche den jedes normalen Ganges ihrer Verhältnisse Entwöhnten manchmal aneignet. Einen Tag lang, den nächsten, beschäftigten sich die beiden Frauen mit dem Ankauf einiger billiger Trauerartikel auf Abzahlung. Gleichzeitig betrieben sie die Auflösung des Haushaltes weiter, welche jetzt doch jeden Sinn verloren hatte. In leeren Zimmern stehend, mit Schachteln und Koffern beladen, verfiel die Frau knapp vor der Abreise auf einen ungeheuerlichen Gedanken. Der Arbeitsplatz, den sie zusammen mit dem Mann verloren hatte, war keine Minute aus ihrem armen Kopf verschwunden. Es kam alles darauf an, ihn, koste es, was es wolle, zu retten: solch ein Angebot des Schicksals war nicht ein zweites Mal zu erwarten. Der Plan, auf den sie im letzten Moment zur Rettung dieses Arbeitsplatzes verfiel, war nicht abenteuerlicher, als ihre Lage verzweifelt war: sie wollte anstelle ihres Mannes und als Mann den Wächterposten in der Fabrik, um den es sich handelte, einnehmen. Noch kaum mit sich einig, riß sie sich die schwarzen Fetzen vom Leibe, holte vor den Augen der Kinder aus einem der mit Bindfaden umschnürten Koffer den Sonntagsanzug ihres Mannes und zog ihn sich ungeschickt an, wobei ihr ihre neu gewonnene Freundin, die beinahe augenblicklich alles verstanden hatte, schon half. So fuhr in dem Zug nach Mainz, ein erneuter Vorstoß in der Richtung des verheißenen Arbeitsplatzes, eine neue Familie, aus nicht mehr Köpfen wie bisher bestehend. So treten in die Lücken durch feindliches Feuer gelichteter Bataillone frische Rekruten.

Der Termin, zu dem der jetzige Besitzer des Arbeitsplatzes sein Schiff in Hamburg erreichen muß, gestattet es den Frauen nicht, in Berlin auszusteigen und an der Beerdigung des Hausmann teilzunehmen. Während er ohne Geleite aus dem Krankenhaus geschafft wird, um in die Grube gelegt zu werden, macht seine Frau in seinen Kleidern, seine Papiere in der Tasche, an der Seite seines einstmaligen Kollegen, mit dem eine rasche Verständigung erfolgt ist, den Gang in die Fabrik. Sie hat einen weiteren Tag in der Wohnung des Kollegen damit verbracht, unermüdlich vor diesem und ihrer Freundin – all dies geschah übrigens nach wie vor unter den Augen der Kinder – Gang, Sitzen und Essen sowie die Sprechweise eines Mannes einzuüben. Wenig Zeit liegt zwischen dem Augenblick, in dem Hausmann die Grube empfängt und dem Augenblick, wo der ihm verheißene Arbeitsplatz besetzt wird.

Durch eine Verkettung von Verhängnis und Glück wieder in das Leben, das heißt die Produktion, zurückgebracht, führten die beiden Frauen als Herr und Frau Hausmann zusammen mit den Kindern ihr neues Leben, in der umsichtigsten und ordentlichsten Weise. Der Beruf des Wächters einer großen Fabrik stellte nicht unerhebliche Anforderungen. Die nächtlichen Rundgänge durch die Fabrikhöfe, Maschinenhallen und Lagerräume verlangten Zuverlässigkeit und Mut, Eigenschaften, die seit jeher *männliche* genannt werden. Daß die Hausmann diesen Anforderungen gerecht wurde – sie erhielt sogar einmal, als sie einen Dieb ergriffen und unschädlich gemacht hatte (einen armen Teufel, der hatte Holz stehlen wollen) eine öffentliche Anerkennung der Fabrikdirektion – beweist, daß Mut, Körperkraft, Besonnenheit schlechthin von jedem, Mann oder Weib, geliefert werden können, der auf den betreffenden Erwerb angewiesen ist. In wenigen Tagen wurde die Frau zum Mann, wie der Mann im Laufe der Jahrtausende zum Manne wurde: durch den Produktionsprozeß.

Es vergingen vier Jahre, während derer die allgemeine Arbeitslosigkeit ringsum zunahm, verhältnismäßig sicher für die kleine Familie, deren Kinder heranwuchsen. Das häusliche Leben der Hausmanns erweckte so lange keinerlei Argwohn der Nachbarschaft. Dann mußte aber ein Zwischenfall in Ordnung gebracht werden. Bei den Hausmanns saß gegen Abend oft der Portier des Mietshauses. Es wurde zu dritt Karten gespielt. ›Der Wächter‹ saß dabei breit, in Hemdärmeln, den Bierkrug vor sich (ein Bild, das nachmals von den illustrierten Zeitungen in großer Aufmachung gebracht wurde). Dann ging der Wächter zum Dienst, und der Portier blieb bei der jungen Frau sitzen. Vertraulichkeiten konnten nicht ausbleiben. Sei es nun, daß die Leidner bei einer solchen Gelegenheit aus der Schule schwatzte, sei es, daß der Portier den Wächter beim Umziehen durch eine offen gelassene Türspalte sah, jedenfalls hatten die Hausmanns mit ihm von einem bestimmten Zeitpunkt an einige Schwierigkeiten, indem sie dem Trinker, dem sein Amt außer der Wohnung wenig einbrachte, finanzielle Zuwendungen machen mußten. Besonders schwierig wurde die Lage, als die Nachbarn auf die Besuche des Haase – so hieß der Mann – in der Hausmannschen Wohnung aufmerksam wurden, und auch der Umstand, daß die ›Frau Hausmann‹ öfter Speisereste und Flaschenbier in die Portierloge brachte, in der Nachbarschaft diskutiert wurde. Das Gerücht von der Gleichgültigkeit des Wächters ehrenrührigen Vorgängen in seiner Wohnung gegenüber drang sogar bis in die Fabrik und erschütterte dort zeitweilig das Vertrauen in ihn. Die drei waren gezwungen, nach außen hin einen Bruch ihrer Freundschaft vorzutäuschen. Jedoch dauerte die Ausbeutung der zwei Frauen durch den Portier natürlich nicht nur fort, sondern nahm sogar immer größere Ausmaße an. Ein Unglücksfall in der Fabrik machte dem Ganzen ein Ende und brachte die ungeheuerliche Begebenheit ans Tageslicht.

Bei einer nächtlichen Kesselexplosion wurde der Wächter verletzt, nicht schwer, aber doch so, daß er ohnmächtig vom Platz getragen wurde. Als die Hausmann wieder erwachte, fand sie sich in der Frauenklinik. Nichts könnte ihr Entsetzen beschreiben. An Bein und Rücken verwundet und bandagiert, von Übelkeit geschüttelt, aber tödlicheren Schrecken als nur den über eine nicht übersehbare Verwundung in den Knochen, schleppte sie sich durch den Saal noch schlafender kranker Weiber und ins Zimmer der Oberin. Bevor diese zu Wort kommen konnte – sie war noch beim Anziehen, und der falsche Wächter mußte grotesker Weise erst eine angewöhnte Scheu überwinden, zu einer halb bekleideten Frau ins Zimmer zu treten, was doch nur der Geschlechtsgenossin erlaubt ist – überschüttete die Hausmann sie mit Beschwörungen, doch ja nicht der Direktion über den fatalen Tatbestand Mitteilung zukommen zu lassen. Nicht ohne Mitleid gestand die Oberin der Verzweifelten, die zweimal in Ohnmacht fiel, aber auf der Fortführung der Aussprache bestand, daß die Papiere bereits an die Fabrik gegangen seien. Sie verschwieg ihr, wie die unglaubliche Geschichte lauffeuerartig durch die Stadt sich verbreitet hatte.

Das Krankenhaus verließ die Hausmann in Männerkleidern. Sie kam vormittags nach Hause und von mittags an sammelte sich auf dem Flur des Hauses und auf dem Pflaster dem Haus gegenüber das ganze Viertel und wartete auf den falschen Mann. Abends holte die Polizei die Unglückliche ins Polizeigewahrsam, um dem Ärgernis ein Ende zu machen. Sie stieg immer noch in Männerkleidern in das Auto. Sie hatte keine andern mehr.

Um ihren Arbeitsplatz kämpfte sie noch vom Polizeigewahrsam aus, natürlich ohne Erfolg. Er wurde an einen der Ungezählten vergeben, die auf Lücken warten und zwischen den Beinen jenes Organ tragen, das auf ihrem Geburtsschein angezeigt ist. Die Hausmann, die sich nicht vorwerfen mußte, irgendetwas unversucht gelassen zu haben, soll noch einige Zeit als Kellnerin in einem Vorstadtlokal zwischen Fotos, die sie in Hemdärmeln, Karten spielend und Bier trinkend, als Wächter zeigten und zum Teil erst *nach* der Entlarvung gestellt worden waren, den Kegelspielern als Monstrum gegolten haben. Dann verschwand sie wohl endgültig wieder in der Millionenarmee derer, die eines bescheidenen Broterwerbs wegen gezwungen sind, sich ganz oder stückweise oder gegenseitig zum Kauf anzubieten, Jahrhunderte alte Gewohnheiten, die schon beinahe wie ewige ausgesehen haben, innerhalb weniger Tage aufzugeben und, wie man sieht, sogar ihr Geschlecht zu wechseln, übrigens größtenteils ohne Erfolg, kurz, die verloren sind, und zwar, wenn man der herrschenden Meinung glauben will, endgültig.

1. Der Tod der Frommen

Die Schwester meiner Großmutter war sehr fromm. Sie hatte vierhundert Kronen Rente im Jahr und ein Zimmer bei ihrer Schwester, meiner Großmutter. Dieser gab sie das Geld, von dem für sie gekauft wurde was sie brauchte. So mußte sie kein Geld in die Hand nehmen. Sie verdiente noch etwas Geld zu, indem sie Strümpfe strickte, das Paar für 25 Öre. Aus dem Erlös beschenkte sie die Armen. Sie trug niemals Schmuck, nicht einmal eine Brosche; ihr Kleid war am Hals durch einen Haken zusammengehalten. Einunddasselbe Kleid trug sie 30 Jahre lang. In der zweiten Hälfte ihres Lebens lernte sie ohne Lehrer Griechisch und Lateinisch, aber dennoch lebte sie auch dann noch mit nur zwei Büchern, einer Bibel und einem Kleinen Katechismus. Sie wurde 85 Jahre alt. Ihr Todeskampf dauerte aber 3 volle Tage. Im Fieber sprach sie oft von Napoleon, den sie in ihrer Jugend verehrt hatte. Außerdem versuchte sie ununterbrochen zu beten, hatte aber die Worte des Vaterunsers vergessen, was sie sehr quälte. Dieser Tod brachte mich um den Rest meines Glaubens an Gott.

2. Durch bestimmte Weglassungen werden Geschichten merkwürdig

Viele sonderbare Geschichten sind nur durch bestimmte Weglassungen sonderbar. Es werden zum Beispiel folgende zwei Geschichten erzählt:
In Jütland schenkte eine Mutter ihrem kleinen Sohn, als er zur See ging, ein Umhängetuch. Da es für ihn zu groß

war, schnitt sie ein Stück weg. Das Schiff, auf dem er fuhr, ging im Kattegatt verloren. Nach geraumer Zeit fand man am Strand halb im Sand ein Tuch, von dem ein Teil fehlte. Die Mutter des kleinen Matrosen erkannte dieses Tuch wieder, das Stück, das sie zu Hause hatte, paßte daran. So wußte man, daß das Schiff gesunken war.

Irgendwo anders, aber auch in Dänemark, ging ebenfalls ein Schiff verloren und am Strand wurde eine kleine Leiche gefunden. Sie hatte einen Sonntagsanzug an und in der Tasche ein Messer, auf dem stand ein Kosenamen, den es nicht oft gab. Durch dieses Messer wurde der Junge von seinen Verwandten erkannt, so daß festgestellt werden konnte, daß das Schiff gesunken war.

Wer diese Geschichten erzählte, erzählte sie in einem Ton, daß man dachte: Es gibt mehr Dinge zwischen Himmel und Erde, als man sich träumen läßt. Aber wenn man diesen Geschichten hinzufügt, daß es natürlich Zeitungen gibt, die, wenn Leichen angeschwemmt werden, auch die allerkleinsten Anhaltspunkte überallhin verbreiten, die zu ihrer Erkennung führen können, ist nichts so Besonderes mehr an ihnen.

3. Das barmherzige Rote Kreuz

Als der Krieg anfing, brauchte man viel weibliches Pflegepersonal. Man machte nur eine einzige Probe mit denen, die sich meldeten. Man fragte sie, ob sie lieber Offiziere werden wollten oder gemeine Pflegerinnen. Die lieber Offiziere werden wollten führte man in ein Zimmer und sagte ihnen, daß man sie nicht brauchen könne, weil man keine Offiziere brauche. Aber alle andern nahm man. Es waren auch viele Straßenmädchen darunter, denn die konnten jetzt nicht mehr genug verdienen. Die Pflegerinnen waren nicht ganz von Anfang an gut; die Aufsichtspersonen mußten lange Zeit jede

Stunde in der Nacht aufstehen, um zu inspizieren, damit die Pflegerinnen nicht einschliefen. – Als der Krieg zu Ende war, konnte man sie nicht mehr brauchen und warf sie auf die Straße. Dazu brauchte man keine Probe.

4. Mesalliance

König Christian der Siebente heiratete eine Haushälterin. Wenn er mit ihr in die Provinz reiste, benahm sich selbst der niedrige Adel ablehnend zu ihr. Sie hatte deshalb ein schweres Leben. Beinahe das Schlimmste aber war es für sie, daß Christian sich beim Essen und auch sonst wie ein Bauer benahm.

5. Feine Kampfmittel

Einmal erzählte ich in Gegenwart meiner Freundin Hjerdis: zu meiner Zeit kostete eine gute Zigarre, die jedermann rauchen konnte, 10 Öre. Da unterbrach sie mich und sagte: zu meiner Zeit kostete sie schon 15. Sie wollte dadurch zum Ausdruck bringen, daß sie 2 Monate jünger ist als ich!

6. Das große Essen

Auf der Insel Thurö wohnten ein Mann und eine Frau in äußerster Sparsamkeit. Der Mann trug sein Leben lang nur Hemden aus Säcken gemacht. Im Winter setzten sie sich, um nicht heizen zu müssen, vor die offene Stalltüre und benutzten die Wärme der Rinder. Als sie, ganz kurz hintereinander, starben und zusammen beerdigt wurden, veranstaltete man aus ihrer Hinterlassenschaft oder durch Sammlung ein Begräbnisessen des ganzen Dorfes, wie das üblich ist. Das war das einzige ausgiebige Essen, das die beiden gegeben haben.

7. Wenn einer etwas will, muß er es einem anderen nehmen

Der Sohn eines ganz unbemittelten Mannes bekam durch meine Fürsprache die Ausbildung und Stellung eines Telegrafisten in der Provinz. Als er die Stellung glücklich hatte, schrieb er mir, er wolle nach Kopenhagen versetzt werden. Ich schrieb überallhin Briefe und er wurde nach Kopenhagen versetzt. Dort war er eine Zeit lang, dann kam er und sagte, er wolle lieber nach Svendborg. Ich mißbrauchte wieder meine Beziehungen und er kam nach Svendborg. Als er in Svendborg war, wollte er wieder nach Kopenhagen zurück. Ich kann natürlich nicht mehr oft in dieser Sache Briefe schreiben und vielleicht auch nicht in andern. Dieser Mensch ist heute groß und dick und aufgeblasen. Er ist gar nichts. Ohne mich wäre er sein Leben lang wahrscheinlich schlimm ausgenutzt worden; so nutzte er mich aus. Auf andere Weise kann einer anscheinend nichts bekommen, als daß er es einem andern wegnimmt. Das ist nicht gut.

Der Städtebauer

Als sie nun die Stadt gebaut hatten, kamen sie zusammen und führten einander vor ihre Häuser und zeigten einander die Werke ihrer Hände. – Und der Freundliche ging mit ihnen, von Haus zu Haus, den ganzen Tag über, und lobte sie Alle. Aber er selber sprach nicht vom Werk seiner Hände und zeigte Keinem ein Haus. – Und es ging gegen Abend, da, auf dem Marktplatz, trafen sie sich wieder Alle und auf einem erhöhten Brettergerüst trat Jeder hervor und erstattete Bericht über die Art und Größe seines Hauses und die Baudauer, damit man ausfinden konnte, welcher von ihnen das größte Haus gebaut hatte, oder das schönste und in wieviel Zeit. – Und nach seiner Stelle im Alphabet wurde auch der Freundliche aufgerufen. – Er erschien unten, vor dem Podium, und einen großen Türstock schleppend. – Er erstattete seinen Bericht. – Dies hier, der Türstock, war, was er von seinem Haus gebaut hatte. – Es entstand ein Schweigen. – Dann stand der Versammlungsleiter auf. – »Ich bin erstaunt«, sagte er und ein Gelächter wollte sich erheben. Aber der Versammlungsleiter fuhr fort: »Ich bin erstaunt, daß erst jetzt die Rede darauf kommt. Dieser da war während der ganzen Zeit des Bauens überall, über den ganzen Grund und half überall mit. Für das Haus dort baute er den Giebel, dort setzte er ein Fenster ein, ich weiß nicht mehr, welches, für das Haus gegenüber zeichnete er den Grundplan. Kein Wunder weiter, daß er hier mit einem Türstock erscheint, der übrigens schön ist, daß er aber selber kein Haus besitzt. In Anbetracht der vielen Zeit, die er für den Bau unserer Häuser aufgewendet hat, ist der Bau dieses schönen Türstocks ein wahres Wunderwerk und so schlage ich vor, den Preis für gutes Bauen ihm zuzuerteilen.«

Der Disput

Ich sah sie stehen auf vier Hügeln. Zwei schrien und zwei schwiegen.

Sie waren alle vier umgeben von ihren Knechten, Tieren und Waren. Alle Knechte auf allen vier Hügeln waren bleich und mager.

Alle vier waren im Zorn. Zwei hatten Messer in den Händen und zwei hatten die Messer in den Stiefelschäften.

»Gebt heraus, was ihr uns geraubt habt!« schrien zwei, »sonst gibt es ein Unglück!« und zwei schwiegen und sahen lässig nach dem Wetter.

»Wir sind hungrig«, schrien zwei, »aber wir sind bewaffnet.« Da begannen die beiden andern zu reden.

»Was wir euch weggenommen haben, war nichts wert und wenig und machte euch nicht satt«, sagten sie würdig. »Dann gebt es heraus, wenn es nichts wert ist«, schrien die beiden andern.

»Uns gefallen die Messer nicht«, sagten die Würdigen. »Legt sie weg und ihr sollt etwas bekommen.« »Leere Versprechungen«, schrien die Hungrigen. »Als wir die Messer nicht hatten, habt ihr nicht einmal etwas versprochen!«

»Warum verfertigt ihr nicht nützliche Waren?« fragten die Würdigen. »Weil ihr sie uns nicht verkaufen laßt«, antworteten die Hungrigen böse; »darum haben wir Messer verfertigt.«

Sie waren aber selber nicht hungrig, so zeigten sie denn immer auf ihre Knechte, die waren hungrig. Und die Würdigen sagten zu einander: »Unsere Knechte sind auch hungrig.«

Und gingen hinunter von ihren Hügeln, zu verhandeln, damit das Schreien aufhöre, denn da waren zuviel Hungrige. Und die beiden andern kamen auch herab von ihren Hügeln und das Gespräch wurde leise.

»Unter uns«, sagten zweie, »wir leben von unsern Knechten.« Und zwei nickten und sagten: »Das tun wir auch.«

»Wenn wir nichts bekommen«, sagten die Kriegerischen, »werden wir unsere Knechte gegen die euren schicken und ihr werdet besiegt werden.« »Vielleicht werdet ihr besiegt werden«, lächelten die Friedlichen.

»Ja, vielleicht werden wir besiegt werden«, sagten die Kriegerischen, »dann werden unsere Knechte sich auf uns stürzen und uns umbringen und mit euren Knechten sprechen, wie man euch umbringen kann. Denn wenn die Herren nicht miteinander sprechen, dann sprechen die Knechte miteinander.«

»Was braucht ihr?« fragten die Friedlichen erschrocken. Und die Kriegerischen zogen große Listen aus den Taschen.

Aber alle vier standen auf wie ein Mann und wandten sich zu allen Knechten und sagten laut: »Wir besprechen jetzt, wie wir den Frieden bewahren können.«

Und setzten sich und besahen die Listen und sie waren sehr lang.

Also daß die Friedlichen zornrot wurden und sagten: »Wir sehen, ihr wollt auch noch von unseren Knechten leben« und zurückgingen zu ihren Hügeln. Da gingen auch die Kriegerischen zurück zu ihren Hügeln.

Ich sah sie stehen auf vier Hügeln und alle vier schrien. Alle vier hatten Messer in den Händen und sagten zu ihren Knechten: »Die da drüben wollen, daß ihr für sie arbeitet! Da muß der Krieg entscheiden.«

Irk zu fällen war leicht. Er war sehr beschäftigt und sorgte
für viele, aber nicht für sich selber. Er war schon erschlagen,
als Gaumer merkte, wie ungeheuer schwer er zu begraben
war.

Er lag auf dem Boden im Kontor und Gaumer versuchte zunächst, ihn auf die Schulter zu nehmen. Aber das war natürlich unmöglich. Die Gaumers können die Irks nicht tragen.

Also packte ihn Gaumer am linken Fuß und zog ihn mit aller
Kraft nach der Tür zu. Am Türbalken stemmte sich das andere Bein Irks fest, so daß Gaumer den Körper wieder zurück ins Kontor ziehen mußte, diesmal am Kopf, der keinen
guten Halt bot. Gaumer war froh, als er Irk wieder im Zimmer hatte, wo er vorher gelegen hatte. Er setzte sich schweiß-
bedeckt auf einen Stuhl und holte Atem.

Gaumer begann nachzudenken. Er dachte tiefer nach, als er
je nachgedacht hatte. Man mußte Irk mit dem Kopf voran
aus der Tür ziehen. Das war die Lösung. Es gab immer eine
Lösung, man mußte nur tief und unerschrocken nachdenken. Irk hatte das ständig gesagt.

Gaumer fiel zweimal nieder, als er Irk am Kopf zur Tür zog,
da er den Halt an Irks Kopf verlor. Kein Wunder, der Kopf
war nicht als Griff gedacht gewesen. Immerhin, der Körper
lag jetzt im Stiegenhaus und die Stiege hinab mußte ihn sein
eigenes (zu großes) Gewicht befördern. Es genügte von seiten Gaumers ein Fußtritt. Allerdings, das Geländer unten,
am Fuß der Stiege, brach unter der Wucht des Anpralls zusammen. Es war morsch und Irk hatte immer gesagt, man
solle es erneuern. Schade, daß Gaumer ihm darin nicht nachgegeben hatte. Jetzt sahen es die Leute, wenn sie am nächsten
Morgen zur Arbeit kamen.

Irk lag jetzt wenigstens unten, das bedeutete einen Fortschritt. Allerdings bedeutete es nur einen Fortschritt, wenn man ihn weiterbrachte, denn hier lag er ja viel offener der Entdeckung als oben im Kontor.

Und nun kam etwas sehr Schlimmes. Gaumer erkannte, nach zweistündigem verzweifeltem Abmühen mit dem Körper, daß er ihn niemals allein ins Freie bringen konnte! Der Raum zwischen der Stiege und der Tür war zu klein und die Tür ging nach innen auf. Gaumer konnte nicht zugleich die Tür aufmachen und den Körper hochheben. Er konnte ihn nicht einmal so drehen, daß er auf der Seite lag und das mußte er. Er mußte unbedingt gedreht werden.

Gaumer sah ein, daß er seinen Neffen holen und einweihen mußte. Das war entsetzlich. Dieser faule und verderbte Laffe würde ihm seine Hilfe teuer verkaufen. Natürlich, wenn er nicht faul und verderbt gewesen wäre, hätte sich Gaumer nie an ihn wenden können, in so einer Angelegenheit. Nach dieser Nacht würde er völlig in der Hand dieses Burschen sein, das hieß, er würde auch ihn beseitigen müssen. Das waren nette Aussichten.

Der Neffe sah ihn auch mehr als eigentümlich an, als er ihm die Geschichte berichtete. Immerhin kam er sofort mit. Gaumer hatte den Eindruck, er kam wirklich etwas zu rasch mit. Er schien nur mit Mühe seine Freude zu verbergen. Zu zweit gelang es ihnen, die Tür zu öffnen und den Körper über die Schwelle zu ziehen. Und dann, mit einem Mal, brachten sie ihn nicht einen Schritt weiter.

Was war los? Hier war kein Hindernis mehr und sie waren zwei. Die Hauptarbeit schien geschafft. Sie wurden sich erst nach einiger Zeit klar, was geschehen war. Zuerst kam es Gaumer vor, als sähe er mit einem Mal schlecht. Sein Neffe, der am Kopf zog, schien ihm, der die Beine Irks zusammenhielt, so merkwürdig weit entfernt. Dann sagte sein Neffe plötzlich: er wächst.

Tatsächlich, das war es. Irk war Zeit seines Lebens nicht viel größer gewesen als Gaumer, jedenfalls in den Augen Gaumers. Noch nach dem Mord, im Kontor, hatte er, als wie schwer zu tragen er sich immer herausgestellt hatte, doch noch eine einigermaßen natürliche Größe gehabt. Aber jetzt, im Freien, war er plötzlich ganz unfaßbar groß! Seine Beine schienen wie zwei Säulen, sein Kopf wie ein rundgestutzter Lorbeerbaum. Und er wuchs noch. Während die beiden entsetzt standen und auf ihn starrten, der Onkel vom Fuß aus, der Neffe vom Kopf aus, verlängerte und verdickte sich der verdammte Körper mit unheimlicher Schnelligkeit. Das war kein Mensch mehr, das war ein Riese.

Wie sollte man diesen ungeheuren Haufen von Fleisch und Knochen begraben, wie diesen Berg unter die Erde bringen?

Gaumer tat alles, seine panikartige Furcht zu unterdrücken. Man mußte sogleich Taue, besser Stahltrossen beschaffen. Mit einem Lastauto vorgespannt könnte man Irk vielleicht immer noch hinunter in den Kanal schaffen, der an der Fabrik vorbeifloß. Nur gut, daß Gaumer alle Schlüssel besaß und überhaupt über solche Dinge wie Lastautos und Trossen verfügen konnte.

Er ging schweren Trittes zu den Remisen.

Als er den Lastwagen rückwärts aus der Remise fuhr, überfuhr er Irks Bein. Es war, als ob er über einen Granitblock gefahren wäre, danach krachten die Achsblätter, eine brach.

Irks Körper war jetzt gut fünf Meter lang und über anderthalb Meter im Durchmesser. Um den einen Fuß hochzukriegen beim Anlegen der Stahltrosse, mußten sie den Wagenheber benutzen. Auch er verbog sich. Auf die Weise ging die ganze Maschinerie noch zum Teufel.

Beim in den Wagen Klettern fing Gaumer einen Blick seines Neffen auf, der ihn stark beunruhigte. Der Mensch hatte deutlich Furcht vor ihm. Das machte ihn recht gefährlich. Er ahnte jetzt sichtlich, daß Gaumer ihn würde umlegen müssen nach getaner Arbeit und wälzte wohl Pläne, wie er seinen Onkel zuvor zu packen kriegen könnte. Gaumer mußte ihn schnellstmöglich erledigen, aber erst nach der Arbeit, versteht sich.

Die Trosse rutschte zweimal vom Fuß Irks. Und dann zeigte es sich, daß der Motor zu schwach war, er wurde einfach abgewürgt. Den Chauffeur mußte man in der Luft zerreißen. Warum hielt er seine Maschine nicht in Ordnung? Oder steckte da Absicht dahinter?

Gaumer lief schwitzend in die zweite Remise.

Sie hatten jetzt zwei Lastwagen vor dem Körper, der Onkel fuhr den vorderen, der Neffe den hinteren. Sie konnten so nicht sehen, was mit dem Körper wurde. Erst stockte der Transport wieder, dann gab es einen Ruck und der hintere Wagen fuhr auf den vorderen auf. Gaumer stieg fluchend aus. Der Körper war ein Stück geschleift worden, aber der Kühler des hinteren Wagens war eingedrückt durch den Zusammenprall mit dem vorderen.

Sie versuchten es noch einmal. Der Hof senkte sich zum Kanal hinab von einer bestimmten Stelle aus. Da kamen sie auch sogleich ins Rutschen, der Körper wirkte nun selber als ein ganzer Lastzug und beschleunigte die Fahrt unheimlich. Dazu das schlechte Licht, bei dem man nicht richtig lenken konnte! Daß man die Arbeit auch nicht bei Tag machen konnte!

Mit einem Krach, den man meilenweit hören mußte, preschte Gaumers Lastwagen trotz angezogener Bremse in den Kanal, nach ihm passierte dasselbe mit dem seines Neffen.

Als Gaumer aus dem schlammigen Wasser wieder hochkam und das Ufer erreichte, hörte er ein Plätschern und sah, wie sein Neffe auf die Böschung zuschwamm. Die beiden Lastwagen waren im Wasser verschwunden. Aber der Körper Irks, obwohl vollständig im Kanal, war nicht bedeckt vom Wasser. Riesig, ungeheuerlich, eine nie zu versteckende

Masse, ragte Irk mit Knien und Kopf aus der schwarzen Flut.

Wahnsinn im Auge, trat Gaumer nach den Fingern, die sein Neffe bei dem Versuch, aus dem Wasser zu klettern, in die Böschung krallte.

Wir saßen auf den strohgeflochtenen Stühlen im Eßzimmer eines der köstlichen alten Landhäuser in der Umgebung von Paris. Durch ein langes, schmales, bis zum Steinboden herabreichendes Fenster drang ab und zu das Rollen eines Zuges oder Getute eines Autos und auf der grünlichen geblümten Tapete zuckte schwach der Widerschein der Scheite im Kamin, wo unser Gastgeber, der Maler, seiner Leibesfülle wegen ›der Berg‹ genannt, an einem eisernen Spieß auf einem Dreifuß ein mächtiges Rinderstück briet. Seine Frau, vor einem polierten Tischchen stehend, bereitete in einer riesigen Schüssel den Salat zu, mit den hübschen Bewegungen, die ihre allabendlichen Zuhörer am Boul Miche entzückten, wenn sie ihnen damit eines ihrer pikanten Chansons zubereitete. Der kleine, dürre Kunsthändler überwachte sie von seinem Stuhl aus und wenn sie nach einer der Karaffen mit Essig und Öl griff, wartete sie immer erst sein Nicken ab. Die Verantwortung war zu groß für eine so kleine Person.

Das Gespräch drehte sich, angesichts des großen, fetttriefenden Rinderstücks, um den Materialismus in der deutschen Philosophie. Der ›Berg‹ war mit ihm tief unzufrieden.

»Sie haben ganze Arbeit mit ihm gemacht, die Deutschen«, sagte er entrüstet, »sie haben ihn so vergeistigt, daß tatsächlich nur noch das Gespenst einer Materie umgeht in ihren Systemen. Es war natürlich zu erwarten, daß der Materialismus, wenn sie ihn einmal in die Hände bekamen, nichts mehr von einer Lebensweise an sich behalten würde, sie wissen einfach nicht zu leben, ihre Philosophie ist überhaupt dazu da, sie zu lehren, wie man es macht, nicht zu leben. Von Anfang an haben sie aus ihren Betrachtungen den ›niedrigen‹ Materialismus ausgeschieden und sich dem höheren zugewendet, der mit Freude am Essen nichts mehr zu tun hat, weil er mit nichts mehr zu tun hat.«

Ich protestierte schwach, aber der ›Berg‹ war in Fahrt gekommen.

»Ein Materialismus mit 6 fleischlosen Tagen! Nehmen Sie die Liebe! Das ist bei den Deutschen eine Gemütsbewegung! Andere Bewegung ist da kaum dabei. Die Paare wollen es vor allem gemütlich haben! Die Liebe muß armlos sein.«

Ich war ein wenig erstaunt, begriff aber dann, daß er harmlos meinte. Wir sprachen deutsch. In der französischen Sprache gibt es Wörter wie gemütlich überhaupt nicht.

Der Kunsthändler war alarmiert.

»Um Gotteswillen«, rief er, »reg dich nicht auf, Jean, du drehst den Spieß zu schnell. Du wirst zwar den deutschen Materialismus, aber auch unsere Materie, das Rinderstück, vernichten. Es ist natürlich etwas dran an dem, was du sagst. Ich liebe die Deutschen. Wer wollte sagen, daß sie nicht Kultur haben? Diese Musik! Sie können sich sogar so etwas wie diesen fürchterlichen Wagner leisten. Das fällt gar nicht in die Waagschale. Ihre Kultur ist nur vielleicht ein wenig zu geistig, nicht? Man muß Geist haben, aber man muß auch Körper haben. Wozu sonst Geist? Und wirklich, es scheint nicht viel übrig zu bleiben von dem, was sie verfeinern. Ihre Literatur zeigt tatsächlich, daß ihre Liebe ein wenig geschlechtslos wird, wenn sie sie verfeinern. Sogar die Natur genießen sie nur mit Hilfe diverser Todesahnungen. Sie haben schöne Empfindungen, aber ziemlich tief innen, scheint es. Der sechste Sinn ist da, aber wo sind die fünf andern? Das Brot, der Wein, der Stuhl, deine Arme, Yvette, kurz die Grundstoffe verflüchtigen sich bei ihnen leicht. Sie kultivieren das Elementare nicht mit. Vermutlich setzen sie schon den Unterschied zwischen Tier und Mensch zu groß an. Sie kultivieren nur den Menschen, nicht das Tier in ihm mit, da lassen sie zu viel aus. Ihr Geist hat zu wenig mit Rinderbraten zu tun. Ihr ästhetischer Geschmack und der ihres Gaumens sind zu verschiedene Dinge, ihr Schönheitssinn läßt sie im Stich bei den mehr körperlichen Verrichtungen.«

»Jeder Satz eine Beleidigung«, sagte ich lachend.

»Ah«, sagte er befriedigt, »wir sind eine verfressene Rasse. Wenn von Essen die Rede ist, muß man uns ernst nehmen.«

Der Salat war fertig. Mit seinem langstieligen Schöpflöffel schaufelte der ›Berg‹ das Fett aus dem Kaar in kleinen Schwüngen über das Rinderstück, das sich schnell bräunte.

»Ich mag die Deutschen auch«, sagte Yvette träumerisch, »sie nehmen ernst.«

»Das ist das Schlimmste, was bisher über uns gesagt wurde«, wehrte ich mich. »Seid froh, daß ich nur geistig reagiere und niemandem diesen Schemel hier an den Kopf werfe. Nette Eßsitten sind das bei euch. Der Braten ist gebraten, der Salat ist lecker, der Gast ist gewarnt. Er wird examiniert werden, ob er den Genüssen gewachsen ist. Wehe ihm, wenn er nicht schmatzt!«

Yvette stand entgeistert.

»Oh, jetzt habt ihr ihn eingeschüchtert! Es wird ihm alles im Hals stecken bleiben!«

Der ›Berg‹ manipulierte geschickt das Rinderstück auf den Tisch und griff zum Messer.

»Ich werde ihm sagen, was ich über *uns* denke und alles wird gut sein! Über unsere Politik zum Beispiel, hein, mon ami?«

»*Ich* werde darüber etwas sagen«, sagte ich und ich sagte es ihnen.

Der Braten war ausgezeichnet, ein Gedicht. Ich hielt mich eben noch zurück, das auszusprechen, weil ich fürchtete, sie würden mich sofort fragen, ob ich ihnen ein einziges deutsches Gedicht nennen könnte, das ein Braten genannt zu werden verdiente. Besser, bei der Politik zu bleiben!

Besonders zum Thema Kolonialpolitik wußte der Kunsthändler allerhand Böses zu sagen.

Yvette wandte sich an mich.

»Wissen Sie, daß Jean Offizier in der Kolonialarmee war? Er soll Ihnen die Geschichte von den Kabylen und dem Koch in den Kasematten von Tanger erzählen, zur Strafe!«

»Ich bin schon bestraft«, sagte ich. »Wenn ich auch jetzt zu essen kriege. Ich kriege nur die Galgenmahlzeit *nach* der Exekution.«

»Zur Strafe für *ihn*«, sagte Yvette, »weil er Chauvinist war.« Der ›Berg‹ lächelte. Er zerriß ein Weißbrot, warf die Stücke in seinen Teller und fegte damit das Fett aus, während er gehorsam zu erzählen begann.

»Das war der Riffkrieg. Eine scheußliche Angelegenheit. Wir überfielen ein fremdes Volk und behandelten es dann als aufrührerisch. Sie wissen, Barbaren darf man barbarisch behandeln. Dieser Wunsch, barbarisch zu sein, bringt die Regierungen dazu, den Feind als barbarisch zu bezeichnen. Ich habe das nicht immer so gesehen, Yvette hat recht, wenn sie verlangt, daß ich die Geschichte zur Strafe noch einmal erzählen soll, da ich sie früher anders erzählt habe. Ich habe sie nämlich einmal als Beispiel für den Chauvinismus unserer Feinde erzählt. Nun, die Geschichte der Zwischenzeit hat mir den Kopf gewaschen. Wie gesagt, ich war Offizier. Ich werde nicht über den Verlauf des Krieges sprechen. Besser man vergißt das. Wir brannten nieder und kartätschten nieder und die Zeitungen redeten von Strategie. Unsere Waffen waren natürlich besser, so konnten die Generäle unsern Heldenmut loben. Ich bekam eine kleine Verwundung und aß im Kasino der Kasematten mit dem Kommandanten zu Mittag. Darum war ich anwesend, als die Untersuchung über die Ermordung eines der Köche durch gefangene Riffkabylen geführt wurde. Ich will gleich vorausschicken, daß sie nicht das Geringste ergeben hat.

Es wurde sehr schnell Klarheit darüber geschaffen, daß der Koch an seiner Gutmütigkeit gestorben war. Die Kabylen waren am Nachmittag in die Festung eingebracht worden, etwa 70 an der Zahl. Natürlich waren sie in keiner besonders guten Verfassung, sie waren schon zwei Tage unterwegs und was waren das für Wege! Vor allem waren sie ausgehungert. Aber das Essen in der Festung war für den Tag schon eingeteilt und so konnte ihnen vor dem nächsten Morgen nichts gegeben werden. Sie standen und lagen eingepfercht in einer der Steinhöhlen und schrien nach Essen. Die Kräftigeren schleppten sich an die Eisengitter und beschworen oder beschimpften die Wachen.

Der Koch, im Zivilberuf ein kleiner Fischhändler in Marseille, nahm sich das zu Herzen und dachte nach, wie er das Reglement umgehen könnte. Ehre seinem Andenken, er vertrat allein das Frankreich des Konvent.

Am Abend nahm er einen Korb mit Brotlaiben, die er irgendwo weggespart hatte und eine Handvoll Zigaretten, um die Wachen zu bestechen. Die Zigaretten kaufte er in der Kantine von seiner Löhnung. Wie gesagt, die Erde werde ihm leicht!

Die Sache klappte. Die Wachen waren keine Unmenschen, sondern Raucher und die Gefangenen bekamen ihre Brotlaibe.

Später am Abend ging der Koch noch einmal hinunter zu ihnen, da er seinen Korb vergessen hatte und nicht wollte, daß er bei der Morgeninspektion gefunden würde. Sie verstehen, die ganze Aktion war illegal.

Am nächsten Morgen wurde seine Leiche in der Kasematte gefunden.

Als die Ablösung kam, entstand zunächst noch einmal ein Radau. Die Gefangenen beschwerten sich schreiend darüber, daß man ihnen zu alte Brote gegeben hätte. Tatsächlich war nur ein einziger von ihnen imstand gewesen, seinen Laib aufzuessen.

Aber in der Ecke lag der Koch mit eingeschlagenem Schädel.

Eigentlich bin ich mit der Geschichte schon zu Ende. Die Untersuchung verlief resultatlos. Der Koch hatte den Gefangenen Brot gebracht, sie hatten ihn trotzdem erschlagen. Wie, war nicht herauszubringen. Die allergenaueste Untersuchung der Zelle ermittelte keine Waffe. Wir standen vor einem Rätsel. Da das Rätsel niemals gelöst wurde, hat die Geschichte auch keine Pointe. Als Beispiel für Chauvinismus kann sie wirklich nicht dienen, das ist lächerlich. Diese Kabylen waren vielleicht Chauvinisten, aber wir waren schlimmere. Man hat von Jugend auf verkleisterte Gehirne, das ist meine einzige Entschuldigung dafür, daß ich diesen Vorfall einmal so falsch beurteilt habe. Er beweist höchstens, daß man im Krieg nicht gutmütig sein kann. Wir können nicht sagen: wir wollen Frauen und Kinder niederkartätschen, aber weiter wollen wir nicht gehen. Wir wollen Bestien sein, aber nur bis zu einem gewissen Grad. Der Koch konnte auch nicht sagen: ich bin jetzt nicht Franzose und auch nicht Soldat, sondern nur Koch. Der Haufen Brotlaibe täuschte die Kabylen nicht.«

Der ›Berg‹ hatte längst mit dem Essen aufgehört und spielte jetzt mit den Weißbrotkrümeln.

Nach einer kleinen Stille sagte der Kunsthändler:

»Aber wir können unser Glas auf den Mann aus Marseille leeren. Er beging einen Irrtum, aber es gibt furchtbare Irrtümer.«

Wir leerten unser Glas. Aber dann konnte ich mich nicht enthalten, zu bemerken: »*Noch* eine Rasse, die Brot nicht zu schätzen weiß!«

Wir lachten.

Yvette reichte den Käse.

Der kleine Kunsthändler hob eben das Messer, als ihm etwas einfiel.

»Das Rätsel kann gelöst werden«, sagte er langsam. »Ich kann euch sagen, warum der Koch erschlagen wurde.«

»Warum?« fragte der ›Berg‹ einfach.

»Nicht obwohl er die Brotlaibe brachte, sondern weil er sie brachte. Sie waren zu alt, das hast du selber gesagt. Uneßbar, hart.«

»Bis auf einen«, murmelte der ›Berg‹. »Ja, vielleicht kann man es auch so sehen. Aber damit ist das Rätsel nicht gelöst. Das gibt nur ein Motiv.«

»Bleibt die Frage der Waffe«, sagte der Kunsthändler. »Auch die ist lösbar. Ich schlage als Waffe einen Brotlaib vor. Einen alten Brotlaib, zu hart für die Kauwerkzeuge der Kabylen. Und zu hart für den Schädel des Kochs.«

Der ›Berg‹ öffnete erstaunt seine blauen Kinderaugen.

»Das ist wirklich gut«, sagte er anerkennend. »Vielleicht weißt du auch noch den Mörder?«

»Sicher«, sagte der Kunsthändler ohne Umschweife. »Der Mörder war der Kabyle, der seinen Laib aufgegessen hatte, obwohl er so hart war. Er mußte ihn aufessen, sonst hätte man das Blut daran entdeckt.«

»Oh«, sagte Yvette.

»Ja«, sagte der kleine Kunsthändler ernsthaft. »Sie verstanden sich auf Brot. Die Kultur war auf ihrer Seite.«

Karl Krucke, ein kleiner, vierschrötiger Eisendreher aus Halle an der Saale, im Jahre 1936 nach Frankreich gekommen, weil die Gestapo allzu großes Interesse an ihm bezeigte, wurde von den Freunden bei einem französischen Metallarbeiter in einem Orte bei Paris innerhalb der Banlieue untergebracht. Er sprach kein Wort französisch, aber er verstand, was front populaire bedeutete und daß es freundliche Dinge waren, die man ihm sagte, wenn man das schöne Weißbrot mit ihm teilte. Er lebte ruhig mit den Leuten, ging regelmäßig auf die Mairie und in die Versammlungen der deutschen Freunde, wo er diskutieren und Zeitungen lesen konnte. Aber nach einigen Wochen begann er über einen stechenden Schmerz in der rechten Bauchseite zu klagen und ein wenig gelb auszusehen, und die Freunde gaben ihm einen Zettel mit der Adresse eines guten Spezialisten, der wie sie sagten bereit war, ihn am folgenden Freitag um sieben Uhr kostenlos zu untersuchen. Sie waren besorgt, daß er pünktlich sein sollte, da der Arzt ein vielbeschäftigter Mann war.

Das war unnötig, denn Krucke war immer pünktlich und sein Leiden machte ihm sehr zu schaffen.

Er stand an diesem Freitag früh um zwei Uhr auf, wickelte sich ein Unterhosenbein straff um den Leib und marschierte los, auf Paris zu. Er war nicht ganz ohne Geldmittel gelassen, aber er gedachte die Fahrtspesen zu sparen, denn er hatte unbegrenzt Zeit, viel zu viel Zeit.

Es war April und noch dunkel auf der Straße. Lange begegnete er keiner Menschenseele. Die Straße lief durch offene Felder, sie war schlecht, voller Löcher, aber es ging kein Wind und es war nicht besonders kalt. Mitunter kam er an einem Gehöft vorbei, dann bellte ein Hund. Er konnte weder die Felder noch die Gehöfte deutlich sehen in der Finsternis.

Jedoch schienen sie dadurch nicht weniger fremd. Es war unzweifelhaft nicht Deutschland.

Gottseidank marschierte er auf einer Hauptstraße, so daß es keine Entscheidungen an Kreuzungen zu treffen gab, sonst hätte es mit den Wegweisern Schwierigkeiten gegeben. Andrerseits konnte er ja Leute fragen; es würde genügen, in fragendem Ton »Barrie« zu sagen. Das hieß Paris in diesen Breitengraden.

Nach einer Stunde Marsch hörte er hinter sich einen Pferdewagen holpern. Er blieb stehen und ließ ihn an sich vorüber. Der Karren war hoch beladen mit Gemüseköpfen. Ein dürrer alter Mann nickte, als er mit fragendem Tonfall »Barrie« sagte. Er lud ihn aber nicht ein, aufzusteigen; freilich, zehn Meter vornweg drehte er den Kopf zurück nach ihm, als erwäge er noch solch eine Einladung.

Beim nächsten Wagen, der ihn überholte, einem Karren voll von Milchkannen mit einer rundlichen Frau als Führerin, vollführte er einige Gesten, die ausdrücken sollten, ob er aufsteigen könnte. Aber die Frau hielt nicht an. Er entschied, daß sie seinem dicken Stock mißtraute, den er sich aus einem Weidensprößling geschnitten hatte. Denn er ging schlecht, mit den Stichen in seinem Bauch.

Die beiden Erlebnisse schreckten den kleinen Mann davon ab, weitere Versuche zu unternehmen, auf einen Wagen zu kommen, obgleich die Wägen jetzt immer häufiger wurden. Die berühmten riesigen Karawanen mit Gemüse, Milch, Fleisch fingen jetzt in den Stunden der ersten Dämmerung an, sich auf die Hauptstadt zuzubewegen, von allen Seiten des fruchtbaren Landes.

Es war eine zeitlang ein ständiges Holpern und Trappen. Er mußte immerzu ausweichen, denn die Bauern fuhren keineswegs nur auf der rechten Seite, da ja fast kein Fahrzeug aus der andern Richtung kam. Paris schlief und hatte dem Lande nichts mitzuteilen in der Frühe.

Einmal ging der Eisendreher an einer Bahnstrecke entlang. Als ein Zug vorbeidonnerte, blieb er stehen. Er konnte die Aufschriften auf den Waggons nicht lesen, der Zug lief viel zu schnell, aber der Zug konnte nicht aus Deutschland kommen, man war hier im Süden der Stadt.

Gegen ein halb fünf Uhr wurde es hell am Himmel. Die Gegend hatte ihr Aussehen geändert, die Felder waren zurückgeblieben, das hier waren die Vororte.

Kleine Häuser mit Gärtchen und schönen Bäumen. Straßenzüge, hier und da schon ein Kaffeehaus geöffnet. Schläfrige Kellner mit schmutzigen Schürzen und pomadisierten Haaren stellten Strohstühle auf das Pflaster. Chauffeure stürzten an der Theke einen Kaffee und einen Fin hinunter.

Dann wieder weite Strecken mit Gärtnereien, Glashäusern. Mauern, bedeckt mit Plakaten, Anschlägen der Mairie. Ein Zementwerk.

Die Lebensmittelkarawanen hatten jetzt wohl schon die Märkte erreicht. Wenige Nachzügler trieben ihre Gäulchen um. Dafür kamen mehr Autos jetzt. Die konnten später losfahren. Das waren diese Wagentypen mit den Kühlern, die wie Särge geschnitten waren, die meisten blau.

Und dann kam die Region der Busse und Straßenbahnen, gestopft voll mit Arbeitern.

Der kleine, vierschrötige Mann aus Halle an der Saale ging mit gleichmäßigen Schritten, etwas müde, mit etwas mehr Stichen im Bauch. An den Kaffeehäusern vorbeikommend, blickte er jetzt häufiger auf die weißen Uhren hinter den Theken. Er mußte um sieben Uhr am Boulevard Saint Michel sein, pünktlich.

Um fünf Uhr herum war es ganz hell geworden, eine halbe Stunde später spürte man sogar die Sonne. Die Stadtgrenze war überschritten.

Das Gehen wurde beschwerlicher auf dem Stein und dem Asphalt. Außerdem gab es hier Verkehr. Größtenteils Arbeiter mit Kannen in den Händen. Und große Sprengwägen, vor deren Wasserstrahlenfächern man wegspringen mußte. Die Stadt wurde gesäubert, in Ordnung gebracht. Die gewaltigen Kämpfe um das Mittagessen, die Wohnungsmiete, die Kinderschulkosten und die Zigaretten mußten in einer sauberen Stadt vor sich gehen.

Denn all diese Leute, diese Franzosen, arbeiteten und kämpften, lebten. Der Eisendreher aus Halle verstand das, da auch er gearbeitet, gekämpft und gelebt hatte, in Deutschland.

Genau genommen kämpfte er natürlich immer noch, in gewisser Hinsicht arbeitete er auch noch, und lebte er etwa nicht? Kein Toter hat Stiche im Bauch.

Sein Marsch gegen den Boulevard Saint Michel war ein Kampfakt. Und er hatte Bundesgenossen, die Freunde, die ihm den Zettel gegeben hatten, und die front populaire, ein mächtiger Rückhalt!

Die Frage lautete jetzt »Bullwahr Säng Mischell?«.

Dann war es eine Seitenstraße und die Nummer war 123. Ein hohes, schmales, vornehmes Haus. Es war halb sieben Uhr.

Halb sieben Uhr ist nicht sieben Uhr. Das Haus zeigte auch wenig Lebenszeichen. Es galt noch zu warten.

Der Eisendreher stellte sich gegenüber auf. Einmal verließ ein Diener das Haus, einmal kam ein Dienstmädchen mit einer Haube heraus, einmal trat vor die Tür auf die Steintreppe ein dicker Mann mit rotem Gesicht und blickte sich um. Dann schritt ein Flic, ein Polizist, die Straße herunter und man mußte ein wenig bis zur nächsten Ecke gehen, damit es nicht aussah, als habe man hier etwas Gesetzwidriges vor. Das verlangten alle Polizisten der Welt, da war kein Unterschied.

Dann war es sieben Uhr.

Der kleine vierschrötige Mann überquerte die Straße und stieg die Treppe hinauf. Das rote Ballongesicht von vorhin erschien in der Logenöffnung. Der Konziersch! Krucke zeigte ihm seinen Zettel mit dem Namen des Doktors. Der Konziersch sagte etwas, mit vielen Handbewegungen, die die Sache nicht wesentlich deutlicher machten. Er schloß also, abrupt, mit einem heftigen Achselzucken und der Engpaß war frei.

Auf dem roten Kokosläufer konnte man die breite Treppe hinaufsteigen. Das Haus war verdammt fein. Der Arzt mußte gut sein.

Da war sein Schild. Man brauchte nur zu klingeln.

Ein Dienstmädchen öffnete. Der Eisendreher sprach den Namen des Doktors aus, sein französischer Kollege, bei dem er wohnte, hatte ihm die Aussprache am Abend vorher beigebracht.

Aber das Mädchen schüttelte nur erstaunt den Kopf. Sie sagte ebenfalls eine ganze Menge in dieser verdammten Sprache und wieder klärten die vielen Gesten die Sache nicht. Was nützte es, mit dem Stock in den Flur zu zeigen und mit dem Finger auf die Stelle am Bauch, wo der Schmerz saß? Das Mädchen machte einfach die Tür zu.

Eine einzige ihrer Gesten war halbwegs sinnvoll gewesen. Sie hatte auf das Schild gewiesen, auf dem 5–8 stand. Das waren natürlich die Sprechstunden. Aber er sollte doch außer der Reihe dran genommen werden, er konnte doch nichts bezahlen! Darum war es doch sieben Uhr früh, eine an sich ungewöhnliche Stunde, eben bevor der eigentliche Betrieb einsetzte. Er hatte es so verstanden, daß der Doktor für ihn sozusagen Überstunde machte, danach war er doch besetzt, ein Spezialist, für den jede Minute Geld ist, in einem Haus mit Kokosläufern und Dienern, die noch und noch kosteten.

Jetzt hätte man französisch können müssen.

Er war stehen geblieben vor der verschlossenen Tür. Aber unten auf dem Treppenabsatz erschien der Ballonkopf, röter denn je. Wahrscheinlich hatte er Verdacht gefaßt. Schon der Stock mußte verdächtig sein. Und die Hosen waren auch nicht die neuesten.

Der Eisendreher ging die Treppe wieder hinunter, vorbei an dem Konziersch und unten aus der Tür. Da war nichts zu machen.

Wahrscheinlich hatte der Doktor vergessen, Bescheid zu geben, daß er erwartet würde und vor der Zeit zugelassen werden müßte. So ein Mann hatte allerhand zu denken. Und die Untersuchung war ja gratis.

Es war auch möglich, daß der Doktor zu einer Operation gerufen worden war. In diesem Fall mußte eben ein neuer Zeitpunkt bestimmt werden, vor oder nach der eigentlichen Sprechstunde. Von einem überstürzten Vorgehen war nichts zu erhoffen. Sonntag abend war Zusammenkunft mit den Freunden. Da konnte die neue Aktion besprochen werden.

Der kleine Mann setzte sich auf einen Steinkegel in einer Häusernische, packte aus dem Papier aus, was seine Gastgeber ihm mitgegeben hatten und kaute das Weißbrot.

Dann machte er sich langsam auf den Weg nach dem Vorort zurück. Er würde ihn am Nachmittag erreichen.

Als der französische Arzt, ein freundlicher und hilfreicher Mann, sich einige Tage später erkundigte, warum der angekündigte Patient sich nicht eingestellt hatte und ihm berichtet wurde, daß der Deutsche als ganz selbstverständlich angenommen hatte, es könnte sich nur um *morgens* sieben Uhr handeln, da er wohl doch nur außer der Zeit gratis behandelt werden könnte, zeigte er alle Zeichen der Betroffenheit.

In einem alten Buch über die Fischer der Lofoten lese ich:
Wenn die ganz großen Stürme erwartet werden, geschieht es
immer wieder, daß einige der Fischer ihre Schaluppen am
Strand vertäuen und sich an Land begeben, andere aber eilig
in See stechen. Die Schaluppen, wenn überhaupt seetüchtig,
sind auf hoher See sicherer als am Strand. Auch bei ganz großen Stürmen sind sie auf hoher See durch die Kunst der Na-
vigation zu retten, selbst bei kleineren Stürmen werden sie
am Strand von den Wogen zerschmettert. Für ihre Besitzer
beginnt dann ein hartes Leben.

Giordano Bruno, der Mann aus Nola, den die römischen In-
quisitionsbehörden im Jahre 1600 auf dem Scheiterhaufen
wegen Ketzerei verbrennen ließen, gilt allgemein als ein großer Mann, nicht nur wegen seiner kühnen und seitdem als
wahr erwiesenen Hypothesen über die Bewegungen der Gestirne, sondern auch wegen seiner mutigen Haltung gegenüber der Inquisition, der er sagte: »Ihr verkündet das Urteil
gegen mich mit vielleicht größerer Furcht, als ich es anhöre.«
Wenn man seine Schriften liest und dazu noch einen Blick in
die Berichte von seinem öffentlichen Auftreten wirft, so fehlt
einem tatsächlich nichts dazu, ihn einen großen Mann zu
nennen. Und doch gibt es eine Geschichte, die unsere Achtung vor ihm vielleicht noch steigern kann.
Es ist die Geschichte von seinem Mantel.
Man muß wissen, wie er in die Hände der Inquisition fiel.
Ein Venetianer Patrizier, ein gewisser Mocenigo, lud den
Gelehrten in sein Haus ein, damit er ihn in der Physik und
der Gedächtniskunst unterrichte. Er bewirtete ihn ein paar
Monate lang und bekam als Entgelt den ausbedungenen Unterricht. Aber an Stelle einer Unterweisung in schwarzer
Magie, die er erhofft hatte, erhielt er nur eine solche in Physik. Er war darüber sehr unzufrieden, da ihm dies ja nichts
nutzte. Die Kosten, die ihm sein Gast verursachte, reuten ihn.
Mehrmals ermahnte er ihn ernstlich, ihm endlich die gehei-
men und lukrativen Kenntnisse auszuliefern, die ein so be-
rühmter Mann doch wohl besitzen mußte, und als das nichts
half, denunzierte er ihn brieflich der Inquisition. Er schrieb,
dieser schlechte und undankbare Mensch habe in seiner Gegenwart übel von Christus gesprochen, von den Mönchen gesagt, sie seien Esel und verdummten das Volk, und außerdem

behauptet, es gebe, im Gegensatz zu dem, was in der Bibel stehe, nicht nur eine Sonne, sondern unzählige usw. usw. Er, Mocenigo, habe ihn deshalb in seiner Bodenkammer eingeschlossen und bitte, ihn schnellstens von Beamten abholen zu lassen.

Die Beamten kamen auch mitten in der Nacht von einem Sonntag auf einen Montag und holten den Gelehrten in den Kerker der Inquisition.

Das geschah am Montag, dem 25. Mai 1592, früh 3 Uhr, und von diesem Tag bis zu dem Tag, an dem er den Scheiterhaufen bestieg, dem 17. Februar 1600, kam der Nolaner nicht mehr aus den Kerkern heraus.

Während der acht Jahre, die der schreckliche Prozeß dauerte, kämpfte er ohne Ermattung um sein Leben, jedoch war der Kampf, den er im ersten Jahr in Venedig gegen seine Auslieferung nach Rom führte, vielleicht der verzweifeltste.

In diese Zeit fällt die Geschichte mit seinem Mantel.

Im Winter 1592 hatte er sich, damals noch in einem Hotel wohnend, von einem Schneider namens Gabriele Zunto einen dicken Mantel anmessen lassen. Als er verhaftet wurde, war das Kleidungsstück noch nicht bezahlt.

Auf die Kunde von der Verhaftung stürzte der Schneider zum Haus des Herrn Mocenigo in der Gegend von Sankt Samuel, um seine Rechnung vorzulegen. Es war zu spät. Ein Bedienter des Herrn Mocenigo wies ihm die Tür. »Wir haben für diesen Betrüger genug bezahlt«, schrie er so laut auf der Schwelle, daß einige Passanten sich umschauten. »Vielleicht laufen Sie ins Tribunal des Heiligen Offiziums und sagen dort, daß Sie mit diesem Ketzer zu tun haben.«

Der Schneider stand erschrocken auf der Straße. Ein Haufen von Gassenjungen hatte alles mit angehört, und einer von ihnen, ein pustelnübersäter, zerlumpter Knirps, warf einen Stein nach ihm. Es kam zwar eine ärmlich gekleidete Frau aus einer Tür und gab ihm eine Ohrfeige, aber Zunto, ein alter Mann, fühlte deutlich, daß es gefährlich sei, einer zu

sein, der »mit diesem Ketzer etwas zu tun hatte«. Er lief, sich
scheu umsehend, um die Ecke und auf einem großen Umweg
nach Hause. Seiner Frau erzählte er nichts von seinem Unglück, und sie wunderte sich eine Woche lang über sein nie-
dergedrücktes Wesen.

Aber am ersten Juni entdeckte sie beim Ausschreiben der
Rechnungen, daß da ein Mantel nicht bezahlt war von einem
Mann, dessen Namen auf aller Lippen war, denn der Nolaner
war das Stadtgespräch. Die fürchterlichsten Gerüchte über
seine Schlechtigkeit liefen um. Er hatte nicht nur die Ehe in
den Kot gezogen sowohl in Büchern als auch in Gesprächen,
sondern auch Christus selber einen Scharlatan geheißen und
die verrücktesten Sachen über die Sonne gesagt. Es paßte sehr
gut dazu, daß er seinen Mantel nicht bezahlt hatte. Die gute
Frau hatte nicht die geringste Lust, diesen Verlust zu tragen.
Nach einem heftigen Zank mit ihrem Mann ging die Siebzig-
jährige in ihren Sonntagskleidern in das Gebäude des Heiligen Offiziums und verlangte mit bösem Gesicht die zweiunddreißig Skudi, die ihr der verhaftete Ketzer schuldete.

Der Beamte, mit dem sie sprach, schrieb ihre Forderung nieder und versprach, der Sache nachzugehen.

Zunto erhielt denn auch bald eine Vorladung, und zitternd
und schlotternd meldete er sich in dem gefürchteten Gebäude.
Zu seinem Erstaunen wurde er nicht ins Verhör genommen,
sondern nur verständigt, daß bei der Regelung der finanziel-
len Angelegenheiten des Verhafteten seine Forderung be-
rücksichtigt werden sollte. Allerdings deutete der Beamte an,
viel werde dabei nicht herauskommen.

Der alte Mann war so froh, so billig wegzukommen, daß er
sich untertänig bedankte. Aber seine Frau war nicht zufrie-
dengestellt. Es genügte, den Verlust wiedergutzumachen, nicht,
daß ihr Mann auf seinen abendlichen Schoppen verzichtete
und bis in die Nacht hinein nähte. Da waren Schulden beim
Stoffhändler, die bezahlt werden mußten. Sie schrie in der

Küche und auf dem Hof herum, daß es eine Schande sei, einen Verbrecher in Gewahrsam zu nehmen, bevor er seine Schulden bezahlt habe. Sie werde, wenn nötig, bis zum Heiligen Vater nach Rom gehen, um ihre zweiunddreißig Skudi zu bekommen. »Er braucht keinen Mantel auf dem Scheiterhaufen«, schrie sie.

Sie erzählte, was ihnen passiert war, ihrem Beichtvater. Er riet ihr, zu verlangen, daß ihnen wenigstens der Mantel herausgegeben würde. Sie sah darin ein Eingeständnis von seiten einer kirchlichen Instanz, daß sie einen Anspruch hatte, und erklärte, mit dem Mantel, der sicher schon getragen und außerdem auf Maß gearbeitet sei, keineswegs zufrieden zu sein. Sie müsse das Geld bekommen. Da sie dabei ein wenig laut wurde in ihrem Eifer, warf der Pater sie hinaus. Das brachte sie ein wenig zu Verstand, und einige Wochen verhielt sie sich ruhig. Aus dem Gebäude der Inquisition verlautete nichts mehr über den Fall des verhafteten Ketzers. Jedoch flüsterte man sich überall zu, daß die Verhöre ungeheuerliche Schandtaten zutage förderten. Die Alte horchte gierig herum nach all diesem Tratsch. Es war eine Tortur für sie, zu hören, daß die Sache des Ketzers so schlecht stand. Er würde nie mehr freikommen und seine Schulden bezahlen können. Sie schlief keine Nacht mehr, und im August, als die Hitze ihre Nerven vollends ruinierte, fing sie an, in den Geschäften, wo sie einkaufte, und den Kunden gegenüber, die zum Anprobieren kamen, ihre Beschwerde mit großer Zungengeläufigkeit vorzubringen. Sie deutete an, daß die Patres eine Sünde begingen, wenn sie die berechtigten Forderungen eines kleinen Handwerkers so gleichgültig abtaten. Die Steuern waren drückend, und das Brot hatte erst kürzlich wieder aufgeschlagen.

Eines Vormittags holte ein Beamter sie in das Gebäude des Heiligen Offiziums, und dort verwarnte man sie eindringlich, ihr böses Geschwätz aufzugeben. Man fragte sie, ob sie sich nicht schäme, wegen einiger Skudi ein sehr ernstes geistliches Verfahren im Mund herumzuziehen. Man gab ihr zu verstehen, daß man gegen Leute ihres Schlages allerlei Mittel besäße. Eine Zeitlang half das, wenn ihr auch bei dem Gedanken an die Redensart »wegen einiger Skudi« im Maul eines herausgefressenen Bruders jedesmal die Zornröte ins Gesicht stieg. Aber im September hieß es, der Großinquisitor in Rom habe die Auslieferung des Nolaners verlangt. Man verhandle in der Signoria darüber.

Die Bürgerschaft besprach lebhaft dieses Auslieferungsgesuch, und die Stimmung war im allgemeinen dagegen. Die Zünfte wollten keine römischen Gerichte über sich wissen.

Die Alte war außer sich. Wollte man den Ketzer jetzt wirklich nach Rom gehen lassen, ohne daß er seine Schulden beglichen hatte? Das war der Gipfel. Sie hatte die unglaubliche Nachricht kaum gehört, als sie schon, ohne sich auch nur die Zeit zu nehmen, einen besseren Rock umzulegen, in das Gebäude des Heiligen Offiziums lief.

Sie wurde diesmal von einem höheren Beamten empfangen, und dieser war merkwürdigerweise weit entgegenkommender zu ihr, als die vorigen Beamten gewesen waren. Er war beinahe so alt wie sie selber und hörte die Klage ruhig und aufmerksam an. Als sie fertig war, fragte er sie nach einer kleinen Pause, ob sie den Bruno sprechen wolle.

Sie stimmte sofort zu. Man beraumte eine Zusammenkunft auf den nächsten Tag an.

An diesem Vormittag trat ihr in einem winzigen Zimmer mit vergitterten Fenstern ein kleiner, magerer Mann mit schwachem dunklem Bart entgegen und fragte sie höflich nach ihrem Begehren.

Sie hatte ihn seinerzeit beim Anmessen gesehen und all die Zeit über sein Gesicht gut in Erinnerung gehabt, erkannte ihn aber jetzt nicht sogleich. Die Aufregungen der Verhöre mußten ihn verändert haben.

Sie sagte hastig:»Der Mantel. Sie haben ihn nicht bezahlt.«

Er sah sie einige Sekunden erstaunt an. Dann entsann er sich,
und mit leiser Stimme fragte er:»Was bin ich Ihnen schuldig?«

»Zweiunddreißig Skudi«, sagte sie,»Sie haben doch die Rechnung bekommen.«

Er drehte sich zu dem großen, dicken Beamten um, der die
Unterredung überwachte, und fragte ihn, ob er wisse, wieviel Geld zusammen mit seinen Habseligkeiten im Gebäude
des Heiligen Offiziums abgegeben worden sei. Der Mann
wußte es nicht, versprach jedoch, es festzustellen.

»Wie geht es Ihrem Mann?« fragte der Gefangene, sich wieder zu der Alten wendend, als sei damit die Angelegenheit in
Fluß gebracht, so daß normale Beziehungen hergestellt und
die Umstände eines gewöhnlichen Besuchs gegeben waren.

Und die Alte, von der Freundlichkeit des kleinen Mannes
verwirrt, murmelte, es gehe ihm gut, und fügte sogar noch
etwas von seinem Rheuma hinzu.

Sie ging auch erst zwei Tage später wieder in das Gebäude
des Heiligen Offiziums, da es ihr schicklich erschien, dem
Herrn Zeit zu seinen Erkundigungen zu lassen.

Tatsächlich erhielt sie die Erlaubnis, ihn noch einmal zu sprechen. Sie mußte in dem winzigen Zimmer mit dem vergitterten Fenster freilich mehr als eine Stunde warten, weil er
beim Verhör war.

Er kam und schien sehr erschöpft. Da kein Stuhl vorhanden
war, lehnte er sich ein wenig an der Wand an. Jedoch sprach
er sofort zur Sache.

Er sagte ihr mit sehr schwacher Stimme, daß er leider nicht
imstande sei, den Mantel zu bezahlen. Bei seinen Habseligkeiten habe sich kein Geld vorgefunden. Dennoch brauche sie
noch nicht alle Hoffnung aufzugeben. Er habe nachgedacht
und sich erinnert, daß für ihn bei einem Mann, der in der
Stadt Frankfurt Bücher von ihm gedruckt habe, noch Geld

liegen müsse. An den wolle er schreiben, wenn man es ihm gestattete. Um die Erlaubnis wolle er schon morgen nachkommen. Heute sei es ihm beim Verhör vorgekommen, als ob keine besonders gute Stimmung herrsche. Da habe er nicht fragen und womöglich alles verderben wollen.

Die Alte sah ihn mit ihren scharfen Augen durchdringend an, während er sprach. Sie kannte die Ausflüchte und Vertröstungen säumiger Schuldner. Sie kümmerten sich den Teufel um ihre Verpflichtungen, und wenn man ihnen auf den Leib rückte, taten sie, als setzten sie Himmel und Hölle in Bewegung.

»Wozu brauchten Sie einen Mantel, wenn Sie kein Geld hatten, ihn zu bezahlen?« fragte sie hart.

Der Gefangene nickte, um ihr zu zeigen, daß er ihrem Gedankengang folgte. Er antwortete:

»Ich habe immer verdient, mit Büchern und mit Lehren. So dachte ich, ich verdiene auch jetzt. Und den Mantel glaubte ich zu brauchen, weil ich glaubte, ich würde noch im Freien herumgehen.«

Das sagte er ohne jede Bitterkeit, sichtlich nur, um ihr die Antwort nicht schuldig zu bleiben.

Die Alte musterte ihn wieder von oben bis unten, voll Zorn, aber mit dem Gefühl, nicht an ihn heranzukommen, und ohne noch ein Wort zu sagen, wandte sie sich um und lief aus dem Zimmer.

»Wer wird einem Menschen, dem die Inquisition den Prozeß macht, noch Geld schicken?« äußerte sie böse zu ihrem Mann hin, als sie an diesem Abend im Bett lagen. Er war jetzt beruhigt über die Stellung der geistlichen Behörden zu ihm, mißbilligte aber doch die unermüdlichen Versuche seiner Frau, das Geld einzutreiben.

»Er hat wohl jetzt an anderes zu denken«, brummte er.

Sie sagte nichts mehr.

Die nächsten Monate vergingen, ohne daß in der leidigen Angelegenheit irgend etwas Neues geschah. Anfangs Januar hieß es, die Signoria trage sich mit dem Gedanken, dem Wunsch des Papstes nachzukommen und den Ketzer auszuliefern. Und dann kam eine neue Vorladung für die Zuntos in das Gebäude des Heiligen Offiziums.

Es war keine bestimmte Stunde genannt, und Frau Zunto ging an einem Nachmittag hin. Sie kam ungelegen. Der Gefangene erwartete den Besuch des Prokurators der Republik, der von der Signoria aufgefordert worden war, ein Gutachten über die Frage der Auslieferung auszuarbeiten. Sie wurde von dem höheren Beamten empfangen, der ihr einmal die erste Unterredung mit dem Nolaner verschafft hatte, und der Greis sagte ihr, der Gefangene habe gewünscht, sie zu sprechen, sie solle aber überlegen, ob der Zeitpunkt günstig gewählt sei, da der Gefangene unmittelbar vor einer für ihn hochwichtigen Konferenz stehe.

Sie sagte kurz, man brauche ihn ja nur zu fragen.

Ein Beamter ging weg und kehrte mit dem Gefangenen zurück. Die Unterredung fand in Anwesenheit des höheren Beamten statt.

Bevor der Nolaner, der sie schon unter der Tür anlächelte, etwas sagen konnte, stieß die Alte hervor:

»Warum führen Sie sich dann so auf, wenn Sie im Freien herumgehen wollen?«

Einen Augenblick schien der kleine Mann verdutzt. Er hatte dieses Vierteljahr sehr viele Fragen beantwortet und den Abschluß seiner letzten Unterredung mit der Frau des Schneiders kaum im Gedächtnis behalten.

»Es ist kein Geld für mich gekommen«, sagte er schließlich, »ich habe zweimal darum geschrieben, aber es ist nicht gekommen. Ich habe mir gedacht, ob ihr den Mantel zurücknehmen werdet.«

»Ich wußte ja, daß es dazu kommen würde«, sagte sie verächtlich. »Und er ist nach Maß gearbeitet und zu klein für die meisten.«

Der Nolaner sah gepeinigt auf die alte Frau.

»Das habe ich nicht bedacht«, sagte er und wandte sich an den Geistlichen.

»Könnte man nicht alle meine Habseligkeiten verkaufen und das Geld diesen Leuten aushändigen?«

»Das wird nicht möglich sein«, mischte sich der Beamte, der ihn geholt hatte, der große Dicke, in das Gespräch. »Darauf erhebt Herr Mocenigo Anspruch. Sie haben lange auf seine Kosten gelebt.«

»Er hat mich eingeladen«, erwiderte der Nolaner müde.

Der Greis hob seine Hand.

»Das gehört wirklich nicht hierher. Ich denke, daß der Mantel zurückgegeben werden soll.«

»Was sollen wir mit ihm anfangen?« sagte die Alte störrisch.

Der Greis wurde ein wenig rot im Gesicht. Er sagte langsam:

»Liebe Frau, ein wenig christliche Nachsicht würde Ihnen nicht schlecht anstehen. Der Angeklagte steht vor einer Unterredung, die für ihn Leben oder Tod bedeuten kann. Sie können kaum verlangen, daß er sich allzusehr für Ihren Mantel interessiert.«

Die Alte sah ihn unsicher an. Sie erinnerte sich plötzlich, wo sie stand. Sie erwog, ob sie nicht gehen sollte, da hörte sie hinter sich den Gefangenen mit leiser Stimme sagen:

»Ich meine, daß sie es verlangen kann.«

Und als sie sich zu ihm umwandte, sagte er noch: »Sie müssen das alles entschuldigen. Denken Sie auf keinen Fall, daß mir Ihr Verlust gleichgültig ist. Ich werde eine Eingabe in der Sache machen.«

Der große Dicke war auf einen Wink des Greises aus dem Zimmer gegangen. Jetzt kehrte er zurück, breitete die Arme aus und sagte: »Der Mantel ist überhaupt nicht mit eingeliefert worden. Der Mocenigo muß ihn zurückbehalten haben.«

Der Nolaner erschrak deutlich. Dann sagte er fest:

»Das ist nicht recht. Ich werde ihn verklagen.«

Der Greis schüttelte den Kopf.

»Beschäftigen Sie sich lieber mit dem Gespräch, das Sie in ein paar Minuten zu führen haben werden. Ich kann es nicht länger zulassen, daß hier wegen ein paar Skudi herumgestritten wird.«

Der Alten stieg das Blut in den Kopf. Sie hatte, während der Nolaner sprach, geschwiegen und maulend in eine Ecke des Zimmers geschaut. Aber jetzt riß ihr wieder die Geduld.

»Paar Skudi!« schrie sie. »Das ist ein Monatsverdienst! Sie können leicht Nachsicht üben. Sie trifft kein Verlust!«

In diesem Augenblick trat ein hochgewachsener Mönch in die Tür.

»Der Prokurator ist gekommen«, sagte er halblaut, verwundert auf die schreiende alte Frau schauend.

Der große Dicke faßte den Nolaner am Ärmel und führte ihn hinaus. Der Gefangene blickte über die schmale Schulter zurück auf die Frau, bis er über die Schwelle geführt wurde. Sein mageres Gesicht war sehr blaß.

Die Alte ging verstört die Steintreppe des Gebäudes hinunter. Sie wußte nicht, was sie denken sollte. Schließlich tat der Mann, was er konnte.

Sie ging nicht in die Werkstätte, als eine Woche später der große Dicke den Mantel brachte. Aber sie horchte an der Tür, und da hörte sie den Beamten sagen: »Er hat tatsächlich noch die ganzen letzten Tage sich um den Mantel gekümmert. Zweimal machte er eine Eingabe, zwischen den Verhören und den Unterredungen mit den Stadtbehörden, und mehrere Male verlangte er eine Unterredung in dieser Sache mit dem Nuntius. Er hat es durchgesetzt. Der Mocenigo mußte den Mantel herausgeben. Übrigens hätte er ihn jetzt gut brauchen können, denn er wird ausgeliefert und soll noch diese Woche nach Rom abgehen.«

Das stimmte. Es war Ende Januar.

Sokrates, der Sohn der Hebamme, der in seinen Zwiegesprä-
chen so gut und leicht und unter so kräftigen Scherzen seine
Freunde wohlgestalter Gedanken entbinden konnte und sie
so mit eigenen Kindern versorgte, anstatt wie andere Lehrer
ihnen Bastarde aufzuhängen, galt nicht nur als der klügste
aller Griechen, sondern auch als einer der tapfersten. Der Ruf
der Tapferkeit scheint uns ganz gerechtfertigt, wenn wir beim
Platon lesen, wie frisch und unverdrossen er den Schierlings-
becher leerte, den ihm die Obrigkeit für die seinen Mitbür-
gern geleisteten Dienste am Ende reichen ließ. Einige seiner
Bewunderer aber haben es für nötig gehalten, auch noch von
seiner Tapferkeit im Felde zu reden. Tatsächlich kämpfte er
in der Schlacht bei Delion mit, und zwar bei den leichtbewaff-
neten Fußtruppen, da er weder seinem Ansehen nach, er war
Schuster, noch seinem Einkommen nach, er war Philosoph,
zu den vornehmeren und teueren Waffengattungen eingezo-
gen wurde. Jedoch war, wie man sich denken kann, seine
Tapferkeit von besonderer Art.

Sokrates hatte sich am Morgen der Schlacht so gut wie möglich auf das blutige Geschäft vorbereitet, indem er Zwiebeln
kaute, was nach Ansicht der Soldaten Mut erzeugte. Seine
Skepsis auf vielen Gebieten veranlaßte ihn zur Leichtgläubigkeit auf vielen andern Gebieten; er war gegen die Spekulation
und für die praktische Erfahrung, und so glaubte er nicht an
die Götter, wohl aber an die Zwiebeln.

Leider verspürte er keine eigentliche Wirkung, jedenfalls keine sofortige, und so trottete er düster in einer Abteilung von
Schwertkämpfern, die im Gänsemarsch in ihre Stellung auf
irgendeinem Stoppelfeld einrückte. Hinter und vor ihm stolperten Athener Jungens aus den Vorstädten, die ihn darauf

aufmerksam machten, daß die Schilde der Athenischen Zeughäuser für dicke Leute wie ihn zu klein geschnitten seien. Er hatte denselben Gedanken gehabt, nur waren es bei ihm *breite* Leute gewesen, die durch die lächerlich schmalen Schilde nicht halbwegs gedeckt wurden.

Der Gedankenaustausch zwischen seinem Vorder- und seinem Hintermann über die Profite der großen Waffenschmieden aus zu kleinen Schilden wurde abgebrochen durch das Kommando ›Lagern‹.

Man ließ sich auf den Stoppelboden nieder, und ein Hauptmann wies Sokrates zurecht, weil er versucht hatte, sich auf seinen Schild zu setzen. Mehr als der Anschnauzer selbst beunruhigte ihn die gedämpfte Stimme, mit der er erfolgte. Der Feind schien in der Nähe vermutet zu werden.

Der milchige Morgennebel verhinderte alle Aussicht. Jedoch zeigten die Laute von Tritten und klirrenden Waffen an, daß die Ebene besetzt war.

Sokrates erinnerte sich mit großer Unlust an ein Gespräch, das er am Abend vorher mit einem jungen vornehmen Mann geführt hatte, den er hinter den Kulissen einmal getroffen hatte und der Offizier bei der Reiterei war.

»Ein kapitaler Plan!« hatte der junge Laffe erklärt. »Das Fußvolk steht ganz einfach, treu und bieder aufgestellt da und fängt den Stoß des Feindes auf. Und inzwischen geht die Reiterei in der Niederung vor und kommt ihm in den Rücken.«

Die Niederung mußte ziemlich weit nach rechts, irgendwo im Nebel liegen. Da ging wohl jetzt also die Reiterei vor.

Der Plan hatte Sokrates gut geschienen, oder jedenfalls nicht schlecht. Es wurden ja immer Pläne gemacht, besonders wenn man dem Feind unterlegen an Stärke war. In Wirklichkeit wurde dann einfach gekämpft, das heißt zugehauen. Und man ging nicht da vor, wo der Plan es vorschrieb, sondern da, wo der Feind es zuließ.

Jetzt, im grauen Morgenlicht, kam der Plan Sokrates ganz und gar miserabel vor. Was hieß das: das Fußvolk fängt den Stoß des Feindes auf? Im allgemeinen war man froh, wenn man einem Stoß ausweichen konnte, und jetzt sollte die Kunst darin bestehen, ihn aufzufangen! Es war sehr schlimm, daß der Feldherr selber ein Reiter war.

So viele Zwiebeln gab es gar nicht auf dem Markt, als für den einfachen Mann nötig waren.

Und wie unnatürlich war es, so früh am Morgen, statt im Bett zu liegen, hier mitten in einem Feld auf dem nackten Boden zu sitzen, mit mindestens zehn Pfund Eisen auf dem Leib und einem Schlachtmesser in der Hand! Es war richtig, daß man die Stadt verteidigen mußte, wenn sie angegriffen wurde, da man sonst dort großen Ungelegenheiten ausgesetzt war, aber warum wurde die Stadt angegriffen? Weil die Reeder, Weinbergbesitzer und Sklavenhändler in Kleinasien den persischen Reedern, Weinbergbesitzern und Sklavenhändlern ins Gehege gekommen waren! Ein schöner Grund!

Plötzlich saßen alle wie erstarrt.

Von links aus dem Nebel kam ein dumpfes Gebrüll, begleitet von einem metallenen Schallen. Es pflanzte sich ziemlich rasch fort. Der Angriff des Feindes hatte begonnen.

Die Abteilung stand auf. Mit herausgewälzten Augen stierte man in den Nebel vorn. Zehn Schritt zur Seite fiel ein Mann in die Knie und rief lallend die Götter an. Zu spät, schien es Sokrates.

Plötzlich, wie eine Antwort, erfolgte ein schreckliches Gebrüll weiter rechts. Der Hilfeschrei schien in einen Todesschrei übergegangen zu sein. Aus dem Nebel sah Sokrates eine kleine Eisenstange geflogen kommen. Ein Wurfspeer!

Und dann tauchten, undeutlich im Dunst, vorn massive Gestalten auf: die Feinde.

Sokrates, unter dem überwältigenden Eindruck, daß er vielleicht schon zu lange gewartet hatte, wandte sich schwerfällig um und begann zu laufen. Der Brustpanzer und die schweren Beinschienen hinderten ihn beträchtlich. Sie waren viel gefährlicher als Schilde, da man sie nicht wegwerfen konnte.

Keuchend lief der Philosoph über das Stoppelfeld. Alles hing davon ab, ob er genügend Vorsprung gewann. Hoffentlich fingen die braven Jungen hinter ihm den Stoß für eine Zeit auf.

Plötzlich durchfuhr ihn ein höllischer Schmerz. Seine linke Sohle brannte, daß er meinte, es überhaupt nicht aushalten zu können. Er ließ sich stöhnend zu Boden sinken, ging aber mit einem neuen Schmerzensschrei wieder hoch. Mit irren Augen blickte er um sich und begriff alles. Er war in ein Dornenfeld geraten!

Es war ein Gewirr niedriger Hecken mit sehr scharfen Dornen. Auch im Fuß mußte ein Dorn stecken. Vorsichtig, mit tränenden Augen, suchte er eine Stelle am Boden, wo er sitzen konnte. Auf dem gesunden Fuß humpelte er ein paar Schritte im Kreise, bevor er sich zum zweitenmal niederließ. Er mußte sofort den Dorn ausziehen.

Gespannt horchte er nach dem Schlachtlärm: er zog sich nach beiden Seiten ziemlich weit hin, jedoch war er nach vorn mindestens hundert Schritte entfernt. Immerhin schien er sich zu nähern, langsam, aber unverkennbar.

Sokrates konnte die Sandale nicht herunterbekommen. Der Dorn hatte die dünne Ledersohle durchbohrt und stak tief im Fleisch. Wie konnte man den Soldaten, die die Heimat gegen den Feind verteidigen sollten, so dünne Schuhe liefern! Jeder Ruck an der Sandale war von einem brennenden Schmerz gefolgt. Ermattet ließ der Arme die massigen Schultern vorsinken. Was tun?

Sein trübes Auge fiel auf das Schwert neben ihm. Ein Gedanke durchzuckte sein Gehirn, willkommener als je einer in einem Streitgespräch. Konnte man das Schwert als ein Messer benutzen? Er griff danach.

In diesem Augenblick hörte er dumpfe Tritte. Ein kleiner Trupp brach durch das Gestrüpp. Den Göttern sei Dank, es waren eigene! Sie blieben einige Sekunden stehen, als sie ihn sahen. »Das ist der Schuster«, hörte er sie sagen. Dann gingen sie weiter.

Aber links von ihnen kam jetzt auch Lärm. Und dort ertönten Kommandos in einer fremden Sprache. Die Perser!

Sokrates versuchte, wieder auf die Beine zu kommen, das heißt auf das rechte Bein. Er stützte sich auf das Schwert, das nur um wenig zu kurz war. Und dann sah er links, in der kleinen Lichtung, einen Knäuel Kämpfender auftauchen. Er hörte Ächzen und das Aufschlagen stumpfen Eisens auf Eisen oder Leder.

Verzweifelt hüpfte er auf dem gesunden Fuß rückwärts. Umknackend kam er wieder auf den verwundeten Fuß zu stehen und sank stöhnend zusammen. Als der kämpfende Knäuel, der nicht groß war, es handelte sich vielleicht um zwanzig oder dreißig Mann, sich auf wenige Schritt genähert hatte, saß der Philosoph auf dem Hintern zwischen zwei Dornsträuchern, hilflos dem Feind entgegenblickend.

Es war unmöglich für ihn, sich zu bewegen. Alles war besser, als diesen Schmerz im Fußballen noch ein einziges Mal zu spüren. Er wußte nicht, was machen, und plötzlich fing er an zu brüllen.

Genau beschrieben war es so: Er hörte sich brüllen. Er hörte sich aus seinem mächtigen Brustkasten brüllen wie eine Röhre: »Hierher, dritte Abteilung! Gebt ihnen Saures, Kinder!«

Und gleichzeitig sah er sich, wie er das Schwert faßte und es im Kreise um sich schwang, denn vor ihm stand, aus dem Gestrüpp aufgetaucht, ein persischer Soldat mit einem Spieß. Der Spieß flog zur Seite und riß den Mann mit.

Und Sokrates hörte sich zum zweiten Male brüllen und sagen:

»Keinen Fußbreit mehr zurück, Kinder! Jetzt haben wir sie, wo wir sie haben wollen, die Hundesöhne! Krapolus, vor mit der sechsten! Nullos, nach rechts! Zu Fetzen zerreiße ich, wer zurückgeht!«

Neben sich sah er zu seinem Erstaunen zwei von den Eigenen, die ihn entsetzt anglotzten. »Brüllt«, sagte er leise, »brüllt, um des Himmels willen!« Der eine ließ die Kinnlade fallen vor Schrecken, aber der andere fing wirklich an zu brüllen, irgendwas. Und der Perser vor ihnen stand mühsam auf und lief ins Gestrüpp.

Von der Lichtung her stolperten ein Dutzend Erschöpfte. Die Perser hatten sich auf das Gebrüll hin zur Flucht gewandt. Sie fürchteten einen Hinterhalt.

»Was ist hier?« fragte einer der Landsleute Sokrates, der immer noch auf dem Boden saß.

»Nichts«, sagte dieser. »Steht nicht so herum und glotzt nicht auf mich. Lauft lieber hin und her und gebt Kommandos, damit man drüben nicht merkt, wie wenige wir sind.«

»Besser, wir gehen zurück«, sagte der Mann zögernd.

»Keinen Schritt«, protestierte Sokrates. »Seid ihr Hasenfüße?«

Und da es für den Soldaten nicht genügt, wenn er Furcht hat, sondern er auch Glück haben muß, hörte man plötzlich von ziemlich weit her, aber ganz deutlich, Pferdegetrappel und wilde Schreie, und sie waren in griechischer Sprache! Jedermann weiß, wie vernichtend die Niederlage der Perser an diesem Tage war. Sie beendete den Krieg.

Als Alkibiades an der Spitze der Reiterei an das Dornenfeld kam, sah er, wie eine Rotte von Fußsoldaten einen dicken Mann auf den Schultern trug.

Sein Pferd anhaltend, erkannte er den Sokrates in ihm, und die Soldaten klärten ihn darüber auf, daß er die wankende

Schlachtreihe durch seinen unerschütterlichen Widerstand zum Stehen gebracht hatte.

Sie trugen ihn im Triumph bis zum Train. Dort wurde er, trotz seines Protestes, auf einen der Fouragewagen gesetzt, und umgeben von schweißübergossenen, aufgeregt schreienden Soldaten gelangte er nach der Hauptstadt zurück.

Man trug ihn auf den Schultern in sein kleines Haus.

Xanthippe, seine Frau, kochte ihm eine Bohnensuppe. Vor dem Herd kniend und mit vollen Backen das Feuer anblasend, schaute sie ab und zu nach ihm hin. Er saß noch auf dem Stuhl, in den ihn seine Kameraden gesetzt hatten.

»Was ist mit *dir* passiert?« fragte sie argwöhnisch.

»Mit mir?« murmelte er, »nichts.«

»Was ist denn das für ein Gerede von deinen Heldentaten?« wollte sie wissen.

»Übertreibungen«, sagte er, »sie riecht ausgezeichnet.«

»Wie kann sie riechen, wenn ich das Feuer noch nicht anhabe? Du hast dich wieder zum Narren gemacht, wie?« sagte sie zornig. »Morgen kann ich dann wieder das Gelächter haben, wenn ich einen Wecken holen gehe.«

»Ich habe keineswegs einen Narren aus mir gemacht. Ich habe mich geschlagen.«

»Warst du betrunken?«

»Nein. Ich habe sie zum Stehen gebracht, als sie zurückwichen.«

»Du kannst nicht einmal dich zum Stehen bringen«, sagte sie aufstehend, denn das Feuer brannte. »Gib mir das Salzfaß vom Tisch.«

»Ich weiß nicht«, sagte er langsam und nachdenklich, »ich weiß nicht, ob ich nicht am allerliebsten überhaupt nichts zu mir nähme. Ich habe mir den Magen ein wenig verdorben.«

»Ich sagte dir ja, besoffen bist du. Versuch einmal aufzustehen und durchs Zimmer zu gehen, dann werden wir ja sehen.«

Ihre Ungerechtigkeit erbitterte ihn. Aber er wollte unter keinen Umständen aufstehen und ihr zeigen, daß er nicht auftreten konnte. Sie war unheimlich klug, wenn es galt, etwas Ungünstiges über ihn herauszubekommen. Und es war ungünstig, wenn der tiefere Grund seiner Standhaftigkeit in der Schlacht offenbar wurde.

Sie hantierte weiter mit dem Kessel auf dem Herd herum, und dazwischen teilte sie ihm mit, was sie sich dachte.

»Ich bin überzeugt, deine feinen Freunde haben dir wieder einen Druckposten ganz hinten, bei der Feldküche, verschafft. Da ist ja nichts als Schiebung.«

Er sah gequält durch die Fensterluke auf die Gasse hinaus, wo viele Leute mit weißen Laternen herumzogen, da der Sieg gefeiert wurde.

Seine vornehmen Freunde hatten nichts dergleichen versucht, und er würde es auch nicht angenommen haben, jedenfalls nicht so ohne weiteres.

»Oder haben sie es ganz in der Ordnung gefunden, daß der Schuster mitmarschiert? Nicht den kleinen Finger rühren sie für dich. Er ist Schuster, sagen sie, und Schuster soll er bleiben. Wie können wir sonst zu ihm in sein Dreckloch kommen und stundenlang mit ihm schwatzen und alle Welt sagen hören: Sieh mal an, ob er Schuster ist oder nicht, diese feinen Leute setzen sich doch zu ihm und reden mit ihm über Philersophie. Dreckiges Pack.«

»Es heißt Philerphobie«, sagte er gleichmütig.

Sie warf ihm einen unfreundlichen Blick zu.

»Belehr mich nicht immer. Ich weiß, daß ich ungebildet bin. Wenn ich es nicht wäre, hättest du niemand, der dir ab und zu ein Schaff Wasser zum Füßewaschen hinstellt.«

Er zuckte zusammen und hoffte, sie hatte es nicht bemerkt. Es durfte heute auf keinen Fall zum Füßewaschen kommen. Den Göttern sei Dank, fuhr sie schon in ihrer Ansprache fort.

»Also betrunken warst du nicht und einen Druckposten haben sie dir auch nicht verschafft. Also mußt du dich wie ein Schlächter aufgeführt haben. Blut hast du an deiner Hand, wie? Aber wenn ich eine Spinne zertrete, brüllst du los. Nicht als ob ich glaubte, daß du wirklich deinen Mann gestanden hättest, aber irgend etwas Schlaues, so etwas hintenrum, mußt du doch wohl gemacht haben, damit sie dir so auf die Schulter klopfen. Aber ich bringe es schon noch heraus, verlaß dich drauf.«

Die Suppe war jetzt fertig. Sie roch verführerisch. Die Frau nahm den Kessel, stellte ihn, mit ihrem Rock die Henkel anfassend, auf den Tisch und begann ihn auszulöffeln.

Er überlegte, ob er nicht doch noch seinen Appetit wiedergewinnen sollte. Der Gedanke, daß er dann wohl an den Tisch mußte, hielt ihn rechtzeitig ab.

Es war ihm nicht wohl zumute. Er fühlte deutlich, daß die Sache noch nicht vorüber war. Sicher würde es in der nächsten Zeit allerhand Unangenehmes geben. Man entschied nicht eine Schlacht gegen die Perser und blieb ungeschoren. Jetzt, im ersten Siegesjubel, dachte man natürlich nicht an den, der das Verdienst hatte. Man war vollauf beschäftigt, seine eigenen Ruhmestaten herumzuposaunen. Aber morgen oder übermorgen würde jeder sehen, daß sein Kollege allen Ruhm für sich in Anspruch nahm, und dann würde man ihn hervorziehen wollen. Viele konnten zu vielen damit etwas am Zeug flicken, wenn sie den Schuster als den eigentlichen Haupthelden erklärten. Dem Alkibiades war man sowieso nicht grün. Mit Wonne würde man ihm zurufen: Du hast die Schlacht gewonnen, aber ein Schuster hat sie ausgekämpft.

Und der Dorn schmerzte wilder denn je. Wenn er die Sandale nicht bald ausbekam, konnte es Blutvergiftung werden.

»Schmatz nicht so«, sagte er geistesabwesend.

Der Frau blieb der Löffel im Mund stecken.

»Was tue ich?«

»Nichts«, beeilte er sich erschrocken zu versichern. »Ich war gerade in Gedanken.«

Sie stand außer sich auf, feuerte den Kessel auf den Herd und lief hinaus.

Er seufzte tief auf vor Erleichterung. Hastig arbeitete er sich aus dem Stuhl hoch und hüpfte, sich scheu umblickend, zu seinem Lager hinter. Als sie wieder hereinkam, um ihren Schal zum Ausgehen zu holen, sah sie mißtrauisch, wie er unbeweglich auf der lederbezogenen Hängematte lag. Einen Augenblick dachte sie, es fehle ihm doch etwas. Sie erwog sogar, ihn danach zu fragen, denn sie war ihm sehr ergeben. Aber sie besann sich eines Besseren und verließ maulend die Stube, sich mit der Nachbarin die Festlichkeiten anzusehen.

Sokrates schlief schlecht und unruhig und erwachte sorgenvoll. Die Sandale hatte er herunten, aber den Dorn hatte er nicht zu fassen bekommen. Der Fuß war stark geschwollen.

Seine Frau war heute morgen weniger heftig.

Sie hatte am Abend die ganze Stadt von ihrem Mann reden hören. Es mußte tatsächlich irgend etwas stattgefunden haben, was den Leuten so imponiert hatte. Daß er eine ganze persische Schlachtreihe aufgehalten haben sollte, wollte ihr allerdings nicht in den Kopf. Nicht er, dachte sie. Eine ganze Versammlung aufhalten mit seinen Fragen, ja, das konnte er. Aber nicht eine Schlachtreihe. Was war also vorgegangen?

Sie war so unsicher, daß sie ihm die Ziegenmilch ans Lager brachte.

Er traf keine Anstalten aufzustehen.

»Willst du nicht raus?« fragte sie.

»Keine Lust«, brummte er.

So antwortete man seiner Frau nicht auf eine höfliche Frage, aber sie dachte sich, daß er vielleicht nur vermeiden wollte, sich den Blicken der Leute auszusetzen, und ließ die Antwort passieren.

Früh am Vormittag kamen schon Besucher.

Es waren ein paar junge Leute, Söhne wohlhabender Eltern, sein gewöhnlicher Umgang. Sie behandelten ihn immer als ihren Lehrer, und einige schrieben sogar mit, wenn er zu ihnen sprach, als sei es etwas ganz Besonderes.

Heute berichteten sie ihm sogleich, daß Athen voll von seinem Ruhm sei. Es sei ein historisches Datum für die Philosophie (sie hatte also doch recht gehabt, es hieß Philersophie und nicht anders). Sokrates habe bewiesen, daß der groß Betrachtende auch der groß Handelnde sein könne.

Sokrates hörte ihnen ohne die übliche Spottsucht zu. Während sie sprachen, war es ihm, als höre er, noch weit weg, wie man ein fernes Gewitter hören kann, ein ungeheures Gelächter, das Gelächter einer ganzen Stadt, ja eines Landes, weit weg, aber sich nähernd, unaufhaltsam heranziehend, jedermann ansteckend, die Passanten auf den Straßen, die Kaufleute und Politiker auf dem Markt, die Handwerker in ihren kleinen Läden.

»Es ist alles Unsinn, was ihr da redet«, sagte er mit einem plötzlichen Entschluß. »Ich habe gar nichts gemacht.«

Lächelnd sahen sie sich an. Dann sagte einer:

»Genau, was wir auch sagten. Wir wußten, daß du es so auffassen würdest. Was ist das jetzt für ein Geschrei plötzlich, fragten wir Eusopulos vor den Gymnasien. Zehn Jahre hat Sokrates die größten Taten des Geistes verrichtet, und kein Mensch hat sich auch nur nach ihm umgeblickt. Jetzt hat er eine Schlacht gewonnen, und ganz Athen redet von ihm. Seht ihr nicht ein, sagten wir, wie beschämend das ist?«

Sokrates stöhnte.

»Aber ich habe sie ja gar nicht gewonnen. Ich habe mich verteidigt, weil ich angegriffen wurde. Mich interessierte diese Schlacht nicht. Ich bin weder ein Waffenhändler, noch habe ich Weinberge in der Umgebung. Ich wüßte nicht, für was ich Schlachten schlagen sollte. Ich steckte unter lauter vernünftigen Leuten aus den Vorstädten, die kein Interesse an

Schlachten haben, und ich tat genau, was sie alle auch taten, höchstens einige Augenblicke vor ihnen.«

Sie waren wie erschlagen.

»Nicht wahr«, riefen sie, »das haben wir auch gesagt. Er hat nichts getan, als sich verteidigt. Das ist seine Art, Schlachten zu gewinnen. Erlaube, daß wir in die Gymnasien zurück-eilen. Wir haben ein Gespräch über dieses Thema nur unter-brochen, um dir guten Tag zu sagen.«

Und sie gingen, wollüstig in Gespräch vertieft.

Sokrates lag schweigend, auf die Ellbogen gestützt, und sah nach der rußgeschwärzten Decke. Er hatte recht gehabt mit seinen finsteren Ahnungen.

Seine Frau beobachtete ihn von der Ecke des Zimmers aus. Sie flickte mechanisch an einem alten Rock herum.

Plötzlich sagte sie leise: »Also was steckt dahinter?«

Er fuhr zusammen. Unsicher schaute er sie an.

Sie war ein abgearbeitetes Wesen, mit einer Brust wie ein Brett und traurigen Augen. Er wußte, daß er sich auf sie ver-lassen konnte. Sie würde ihm noch die Stange halten, wenn seine Schüler schon sagen würden: Sokrates? Ist das nicht dieser üble Schuster, der die Götter leugnet? Sie hatte es schlecht mit ihm getroffen, aber sie beklagte sich nicht, außer zu ihm hin. Und es hatte noch keinen Abend gegeben, wo nicht ein Brot und ein Stück Speck für ihn auf dem Sims gestan-den hatte, wenn er hungrig heimgekommen war von seinen wohlhabenden Schülern.

Er fragte sich, ob er ihr alles sagen sollte. Aber dann dachte er daran, daß er in der nächsten Zeit in ihrer Gegenwart eine ganze Menge Unwahres und Heuchlerisches würde sagen müssen, wenn Leute kamen wie eben jetzt und von seinen Heldentaten redeten, und das konnte er nicht, wenn sie die Wahrheit wußte, denn er achtete sie.

So ließ er es sein und sagte nur: »Die kalte Bohnensuppe von gestern abend stinkt wieder die ganze Stube aus.«

Sie schickte ihm nur einen neuen mißtrauischen Blick zu.

Natürlich waren sie nicht in der Lage, Essen wegzuschütten. Er suchte nur etwas, was sie ablenken konnte. In ihr wuchs die Überzeugung, daß etwas mit ihm los war. Warum stand er nicht auf? Er stand immer spät auf, aber nur, weil er immer spät zu Bett ging. Gestern war es sehr früh gewesen. Und heute war die ganze Stadt auf den Beinen, der Siegesfeiern wegen. In der Gasse waren alle Läden geschlossen. Ein Teil der Reiterei war früh fünf Uhr von der Verfolgung des Feindes zurückgekommen, man hatte das Pferdegetrappel gehört. Menschenaufläufe waren eine Leidenschaft von ihm. Er lief an solchen Tagen von früh bis spät herum und knüpfte Gespräche an. Warum stand er also nicht auf?

Die Tür verdunkelte sich, und herein kamen vier Magistratspersonen. Sie blieben mitten in der Stube stehen, und einer sagte in geschäftsmäßigem, aber überaus höflichem Ton, er habe den Auftrag, Sokrates in den Areopag zu bringen. Der Feldherr Alkibiades selber habe den Antrag gestellt, es solle ihm für seine kriegerischen Leistungen eine Ehrung bereitet werden.

Ein Gemurmel von der Gasse her zeigte an, daß sich die Nachbarn vor dem Haus versammelten.

Sokrates fühlte, wie ihm der Schweiß ausbrach. Er wußte, daß er jetzt aufstehen und, wenn er schon mitzugehen ablehnte, doch wenigstens stehend etwas Höfliches sagen und die Leute zur Tür geleiten mußte. Und er wußte, daß er nicht weiter kommen würde als höchstens zwei Schritte weit. Dann würden sie nach seinem Fuß schauen und Bescheid wissen. Und das große Gelächter würde seinen Anfang nehmen, hier und jetzt.

Er ließ sich also, anstatt aufzustehen, auf sein hartes Polster zurücksinken und sagte mißmutig:

»Ich brauche keine Ehrung. Sagt dem Areopag, daß ich mich mit einigen Freunden für elf Uhr verabredet habe, um eine philosophische Frage, die uns interessiert, durchzusprechen, und also zu meinem Bedauern nicht kommen kann. Ich eigne mich durchaus nicht für öffentliche Veranstaltungen und bin viel zu müde.«

Das letztere fügte er hinzu, weil es ihn ärgerte, daß er die Philosophie hereingezogen hatte, und das erstere sagte er, weil er sie mit Grobheit am leichtesten loszuwerden hoffte.

Die Magistratspersonen verstanden denn auch diese Sprache. Sie drehten sich auf den Hacken um und gingen weg, dem Volk, das draußen stand, auf die Füße tretend.

»Dir werden sie die Höflichkeit zu Amtspersonen noch beibringen«, sagte seine Frau verärgert und ging in die Küche.

Sokrates wartete, bis sie draußen war, dann drehte er seinen schweren Körper schnell im Bett herum, setzte sich, nach der Tür schielend, auf die Bettkante und versuchte mit unendlicher Vorsicht, mit dem kranken Fuß aufzutreten. Es schien aussichtslos.

Schweißüberströmt legte er sich zurück.

Eine halbe Stunde verging. Er nahm ein Buch vor und las. Wenn er den Fuß ruhig hielt, merkte er fast nichts.

Dann kam sein Freund Antisthenes.

Er zog seinen dicken Überrock nicht aus, blieb am Fußende des Lagers stehen, hustete etwas krampfhaft und kratzte sich seinen struppigen Bart am Hals, auf Sokrates schauend.

»Liegst du noch? Ich dachte, ich treffe nur Xanthippe. Ich bin eigens aufgestanden, um mich nach dir zu erkundigen. Ich war stark erkältet und konnte darum gestern nicht dabei sein.«

»Setz dich«, sagte Sokrates einsilbig.

Antisthenes holte sich einen Stuhl aus der Ecke und setzte sich zu seinem Freund.

»Ich beginne heute abend wieder mit dem Unterricht. Kein Grund, länger auszusetzen.«

»Nein.«

»Ich fragte mich natürlich, ob sie kommen würden. Heute

sind die großen Essen. Aber auf dem Wege hierher begegnete ich dem jungen Pheston, und als ich ihm sagte, daß ich abends Algebra gebe, war er einfach begeistert. Ich sagte, er könne im Helm kommen. Der Protagoras und die andern werden vor Ärger hochgehen, wenn es heißt: Bei dem Antisthenes haben sie am Abend nach der Schlacht weiter Algebra studiert.«

Sokrates schaukelte sich ganz leicht in seiner Hängematte, indem er sich mit der flachen Hand an der etwas schiefen Wand abstieß. Mit seinen herausstehenden Augen sah er forschend auf den Freund.

»Hast du sonst noch jemand getroffen?«

»Menge Leute.«

Sokrates sah schlechtgelaunt nach der Decke. Sollte er dem Antisthenes reinen Wein einschenken? Er war seiner ziemlich sicher. Er selber nahm nie Geld für Unterricht und war also keine Konkurrenz für Antisthenes. Vielleicht sollte er ihm wirklich den schwierigen Fall unterbreiten.

Antisthenes sah mit seinen funkelnden Grillenaugen neugierig den Freund an und berichtete:

»Der Gorgias geht herum und erzählt allen Leuten, du müßtest davongelaufen sein und in der Verwirrung die falsche Richtung, nämlich nach vorn, eingeschlagen haben. Ein paar von den besseren jungen Leuten wollen ihn schon deswegen verprügeln.«

Sokrates sah ihn unangenehm überrascht an.

»Unsinn«, sagte er verärgert. Es war ihm plötzlich klar, was seine Gegner gegen ihn in der Hand hatten, wenn er Farbe bekannte.

Er hatte nachts, gegen Morgen zu, gedacht, er könne vielleicht die ganze Sache als ein Experiment drehen und sagen, er habe sehen wollen, wie groß die Leichtgläubigkeit aller sei. »Zwanzig Jahre habe ich auf allen Gassen Pazifismus gelehrt, und ein Gerücht genügte, daß mich meine eigenen Schüler für einen Berserker hielten« usw. usw. Aber da hätte die Schlacht nicht gewonnen werden dürfen. Offenkundig war jetzt eine schlechte Zeit für Pazifismus. Nach einer Niederlage waren sogar die Oberen eine Zeitlang Pazifisten, nach einem Sieg sogar die Unteren Kriegsanhänger, wenigstens eine Zeitlang, bis sie merkten, daß für sie Sieg und Niederlage nicht so verschieden waren. Nein, mit Pazifismus konnte er jetzt nicht Staat machen.

Von der Gasse kam Pferdegetrappel. Reiter hielten vor dem Haus, und herein trat, mit seinem beschwingten Schritt, Alkibiades.

»Guten Morgen, Antisthenes, wie geht das Philosophiegeschäft? Sie sind außer sich«, rief er strahlend. »Sie toben auf dem Areopag über deine Antwort, Sokrates. Um einen Witz zu machen, habe ich meinen Antrag, dir den Lorbeerkranz zu verleihen, abgeändert in den Antrag, dir fünfzig Stockschläge zu verleihen. Das hat sie natürlich verschnupft, weil es genau ihrer Stimmung entsprach. Aber du mußt doch mitkommen. Wir werden zu zweit hingehen, zu Fuß.«

Sokrates seufzte. Er stand sich sehr gut mit dem jungen Alkibiades. Sie hatten oftmals miteinander getrunken. Es war freundlich von ihm, ihn aufzusuchen. Es war sicher nicht nur der Wunsch, den Areopag vor den Kopf zu stoßen. Und auch dieser letztere Wunsch war ehrenvoll und mußte unterstützt werden.

Bedächtig sagte er endlich, sich weiterschaukelnd in seiner Hängematte: »Eile heißt der Wind, der das Baugerüst umwirft. Setz dich.«

Alkibiades lachte und zog einen Stuhl heran. Bevor er sich setzte, verbeugte er sich höflich vor Xanthippe, die in der Küchentür stand, sich die nassen Hände am Rock abwischend.

»Ihr Philosophen seid komische Leute«, sagte er ein wenig ungeduldig. »Vielleicht tut es dir schon wieder leid, daß du uns hast die Schlacht gewinnen helfen. Antisthenes hat dich wohl darauf aufmerksam gemacht, daß nicht genügend viele Gründe dafür vorlagen?«

»Wir haben von Algebra gesprochen«, sagte Antisthenes schnell und hustete wieder.

Alkibiades grinste.

»Ich habe nichts anderes erwartet. Nur kein Aufheben machen von so was, nicht? Nun, meiner Meinung nach war es einfach Tapferkeit. Wenn ihr wollt, nichts Besonderes, aber was sollen eine Handvoll Lorbeerblätter Besonderes sein? Beiß die Zähne zusammen und laß es über dich ergehen, Alter. Es ist schnell herum und schmerzt nicht. Und dann gehen wir einen heben.«

Neugierig blickte er auf die breite, kräftige Figur, die jetzt ziemlich stark ins Schaukeln geraten war.

Sokrates überlegte schnell. Es war ihm etwas eingefallen, was er sagen konnte. Er konnte sagen, daß er sich gestern nacht oder heute morgen den Fuß verstaucht hatte. Zum Beispiel, als ihn die Soldaten von ihren Schultern heruntergelassen hatten. Da war sogar eine Pointe drin. Der Fall zeigte, wie leicht man durch die Ehrungen seiner Mitbürger zu Schaden kommen konnte.

Ohne aufzuhören, sich zu wiegen, beugte er sich nach vorn, so daß er aufrecht saß, rieb sich mit der rechten Hand den nackten linken Arm und sagte langsam:

»Die Sache ist so. Mein Fuß . . .«

Bei diesem Wort fiel sein Blick, der nicht ganz stetig war, denn jetzt hieß es, die erste wirkliche Lüge in dieser Angelegenheit auszusprechen, bisher hatte er nur geschwiegen, auf Xanthippe in der Küchentür.

Sokrates versagte die Sprache. Er hatte plötzlich keine Lust mehr, seine Geschichte vorzubringen. Sein Fuß war nicht verstaucht.

Die Hängematte kam zum Stillstand.

»Höre, Alkibiades«, sagte er energisch und mit ganz frischer

Stimme, »es kann in diesem Falle nicht von Tapferkeit geredet werden. Ich bin sofort, als die Schlacht begann, das heißt, als ich die ersten Perser auftauchen sah, davongelaufen, und zwar in der richtigen Richtung, nach hinten. Aber da war ein Distelfeld. Ich habe mir einen Dorn in den Fuß getreten und konnte nicht weiter. Ich habe dann wie ein Wilder um mich gehauen und hätte beinahe einige von den Eigenen getroffen. In der Verzweiflung schrie ich irgendwas von anderen Abteilungen, damit die Perser glauben sollten, da seien welche, was Unsinn war, denn sie verstehen natürlich nicht griechisch. Andrerseits scheinen sie aber ebenfalls ziemlich nervös geworden zu sein. Sie konnten wohl das Gebrüll einfach nicht mehr ertragen, nach allem, was sie bei dem Vormarsch hatten durchmachen müssen. Sie stockten einen Augenblick, und dann kam schon unsere Reiterei. Das ist alles.«

Einige Sekunden war es sehr still in der Stube. Alkibiades sah ihn starr an. Antisthenes hustete hinter der vorgehaltenen Hand, diesmal ganz natürlich. Von der Küchentür her, wo Xanthippe stand, kam ein schallendes Gelächter.

Dann sagte Antisthenes trocken:

»Und da konntest du natürlich nicht in den Areopag gehen und die Treppen hinaufhinken, um den Lorbeerkranz in Empfang zu nehmen. Das verstehe ich.«

Alkibiades legte sich in seinem Stuhl zurück und betrachtete mit zusammengekniffenen Augen den Philosophen auf dem Lager. Weder Sokrates noch Antisthenes sahen nach ihm hin.

Er beugte sich wieder vor und umschlang mit den Händen sein eines Knie. Sein schmales Knabengesicht zuckte ein wenig, aber es verriet nichts von seinen Gedanken oder Gefühlen.

»Warum hast du nicht gesagt, du hast irgendeine andere Wunde?« fragte er.

»Weil ich einen Dorn im Fuß habe«, sagte Sokrates grob.

»Oh, deshalb?« sagte Alkibiades. »Ich verstehe.« Er stand schnell auf und trat an das Bett.

»Schade, daß ich meinen eigenen Kranz nicht mit herge-
bracht habe. Ich habe ihn meinem Mann zum Halten gegeben. Sonst würde ich ihn jetzt dir dalassen. Du kannst mir
glauben, daß ich dich für tapfer genug halte. Ich kenne niemand, der unter diesen Umständen erzählt hätte, was du erzählt hast.«

Und er ging rasch hinaus.

Als dann Xanthippe den Fuß badete und den Dorn auszog,
sagte sie übellaunig:

»Es hätte eine Blutvergiftung werden können.«

»Mindestens«, sagte der Philosoph.

Zu Beginn des Jahres 63 war Rom von großer Unruhe erfüllt. Pompejus hatte in langjährigen Feldzügen den Römern Asien erobert und jetzt erwarteten sie voller Furcht die Rückkehr des Siegers. Nach seinem Siege war ihm natürlich nicht nur Asien, sondern auch Rom auf Gnade und Ungnade ausgeliefert.

An einem dieser Tage der Spannung ging aus einem der Paläste, die in den riesigen Gärten am Tiber lagen, ein kleiner, magerer Herr einem Besucher bis auf die Marmortreppe entgegen. Es war der frühere Feldherr Lukullus und sein Besucher, der übrigens zu Fuß kam, war der Dichter Lukrez.

Der alte Feldherr hatte seinerzeit den asiatischen Feldzug begonnen, aber Pompejus hatte ihn durch allerhand Intrigen vom Kommando verdrängt. Da Pompejus wußte, daß viele den Lukullus für den eigentlichen Eroberer Asiens hielten, hatte dieser allen Grund, der Ankunft des Triumphators mit Besorgnis entgegenzusehen. Er erhielt nicht allzuviele Besuche in diesen Tagen.

Der Feldherr begrüßte den Dichter mit Herzlichkeit und führte ihn in einen kleinen Saal, damit er eine Erfrischung zu sich nehme. Der Dichter aß aber nur ein paar Feigen. Mit seiner Gesundheit stand es schlecht. Seine Brust machte ihm zu schaffen; er vertrug die Frühjahrsnebel nicht.

Das Gespräch berührte die politischen Ereignisse zunächst mit keinem Wort. Man erörterte einige philosophische Fragen.

Lukullus äußerte Bedenken über die Behandlung, die Lukrez in seinem Lehrgedicht *Von der Natur der Dinge* den Göttern angedeihen ließ. Er wies darauf hin, es sei gefährlich, die Religiosität einfach als Aberglauben abzutun. Religiosität sei dasselbe wie Moral. Auf das eine verzichtend, verzichte man auch auf das andere. Die abergläubischen Vorstellungen, die man widerlegen könne, seien verknüpft mit anderen Vorstellungen, deren Wert man nicht beweisen könne, die man aber nichtsdestoweniger brauche usf. usf.

Lukrez widersprach ihm natürlich, und der alte Feldherr erzählte, um seine Anschauungen zu bekräftigen, einen Traum, den er während seiner asiatischen Feldzüge gehabt hatte, im letzten, wie es sich zeigte.

»Es war nach der Schlacht bei Gasiura. Unsere Lage war nahezu verzweifelt. Wir waren auf schnelle Erfolge angewiesen, Triarius, damals mein Unterfeldherr, war mit seinen Entsatztruppen in einen Hinterhalt gefallen. Ich mußte ihm sofort zu Hilfe kommen, sonst war alles verloren. Und gerade da nahm in der Armee infolge des langen Ausbleibens der Besoldung die Insubordination einen bedrohlichen Umfang an.

»Ich war stark überarbeitet und eines Nachmittags schlief ich über der Karte ein und hatte den Traum, den ich Ihnen erzählen will.

»Wir kampierten an einem großen Fluß, dem Halys, der hoch angeschwollen war, und ich träumte, daß ich in der Nacht in meinem Zelt saß und einen Plan ausarbeitete, der meinen Feind Mithridates vernichten mußte. Der Fluß war im Augenblick unüberschreitbar und er trennte in meinem Traum des Mithridates Heer in 2 Teile. Griff ich den Teil auf unserer Seite des Flusses jetzt an, konnte er keine Hilfe von jenseits des Flusses bekommen.

»Dann kam der Morgen. Ich ließ das Heer aufstellen und vor den Legionen die Opfer verrichten. Mit den Priestern hatte ich gesprochen und so stellten sich denn auch ungewöhnlich günstige Anzeichen ein. Ich hielt eine große Rede, sprach von der einzigartigen Gelegenheit, den Feind endgültig zu zerschmettern, von der Parteinahme der Götter für uns, die den Fluß hatten anschwellen lassen, den wunderbar günstigen

Vorzeichen, die bewiesen, daß die Götter die Schlacht wünschten usw. usw. Während ich sprach, geschah etwas Merkwürdiges.

»Ich stand ziemlich hoch und konnte die Ebene hinter den Schlachtreihen gut überblicken. In nicht allzuweiter Entfernung stieg der Rauch von den Lagerfeuern des Mithridates auf. Zwischen den beiden Heeren lagen Felder, das Korn stand schon ziemlich hoch. Seitlich, am Fluß, lag ein Gehöft, das vom Hochwasser bedrängt war. Eine Bauernfamilie barg aus dem niedern Haus eben ihre Habseligkeiten.

»Plötzlich sah ich, wie die Bauern in unsere Richtung winkten. Einige meiner Legionäre schienen Rufe zu hören und wandten sich nach den Bauern um. Vier oder fünf von ihnen setzten sich in Bewegung auf sie, erst langsam und unsicher, dann zu laufen anfangend.

»Aber die Bauern deuteten in die entgegengesetzte Richtung. Ich erkannte, was sie meinten. Zu unserer rechten Seite war ein Erdwall aufgerichtet. Er wurde durch die Wasser unterspült und stand im Begriff einzustürzen.

»All das sah ich, während ich unaufhörlich sprach. Ein Einfall kam mir.

»Ich zeigte mit der ausgestreckten Hand auf den Wall, so daß aller Blicke auf ihn gelenkt wurden, und sagte mit erhobener Stimme: Die Hand der Götter, Soldaten! Sie haben dem Fluß befohlen, den Damm des Feindes zu Fall zu bringen. Los, im Namen der Götter!

»Mein Traum war natürlich nicht ganz klar, aber ich entsinne mich sehr deutlich dieses Augenblicks, wo das ganze Heer, in dessen Mitte ich stand, eine Kunstpause einlegend, auf den wankenden Damm sah.

»Er dauerte sehr kurz. Ohne jede Überleitung setzten sich plötzlich Hunderte von Soldaten laufend in Bewegung auf den Damm zu.

»Die paar, die schon vorher den Bauern zu Hilfe geeilt waren, fingen an, ebenfalls herüber zu brüllen, während sie das Vieh aus den Ställen zogen, zusammen mit der Familie. Ich hörte nur noch: Der Damm! Der Damm!

»Und nun wurden es Tausende, die hinliefen, alle.

»Die hinter mir standen, liefen an mir vorbei, schließlich wurde ich mitgerissen. Es war ein Strom von Menschen, der sich gegen den Strom von Wasser wälzte.

»Ich schrie den Nächststehenden oder besser den Nächstlaufenden zu: Auf den Feind! – Ja, auf den Fluß! schrien sie eifrig zurück, als hätten sie mich nicht verstanden. – Aber die Schlacht! schrie ich. – Später! vertrösteten sie mich.

»Dann stellte ich mich einer aufgelösten Kohorte in den Weg.

»Ich befehle euch, stehen zu bleiben, rief ich mit Kommandostimme.

»Zwei oder drei blieben auch stehen. Da war ein Langer mit schiefem Kinn darunter, den ich bis heut nicht vergessen habe, obwohl ich ihn doch nur im Traum gesehen habe. Der wandte sich zu seinen Kameraden zurück und fragte: Wer ist das? Und das war nicht etwa Unverschämtheit. Er fragte ganz ehrlich. Und ganz ehrlich, das konnte ich sehen, antworteten ihm die andern: Keine Ahnung. Dann liefen alle weiter, auf den Damm zu.

»Kurze Zeit darauf stand ich allein. Neben mir brannten noch die Opfer auf den Feldaltären. Aber selbst die Priester sah ich den Soldaten nach zum Fluß gehen. Etwas langsamer natürlich, da sie fetter waren.

»Einem unnatürlich starken Drang folgend, entschloß auch ich mich, nach dem Damm zu sehen. Unklar empfand ich, daß auch dort Organisation nötig sei. Ich ging hin, eine Beute widerstreitender Empfindungen. Jedoch begann ich bald, zu laufen, von Besorgnis erfaßt, die Arbeiten könnten nicht ordentlich angeordnet werden und der Damm doch noch einstürzen. Nicht nur das Bauerngehöft, schoß es mir durch den Kopf, sondern auch die Felder mit dem halbhohen Korn waren dann verloren. Sie sehen, ich war schon völlig von den Empfindungen aller angesteckt.

»Als ich ankam, war aber alles in schönster Ordnung. Es half sehr, daß unsere Legionäre zum Aufwerfen der Lagerwälle Spaten bei sich tragen. Niemand bedachte sich, das Schwert in die Faschinen zur Befestigung zu stecken. Auf den Schilden trug man Erde herbei.

»Da ich zunächst untätig herumstand, faßte mich ein Soldat am Ärmel und gab mir einen Spaten in die Hände. Ich fing an zu graben, nach der Anweisung eines Centurio. Neben mir sagte einer: Bei uns zu Hause, im Picenum, ist 82 auch ein Damm geborsten. Die ganze Ernte war hin. Natürlich, fiel mir ein, die meisten waren Bauernsöhne.

»Einmal, entsinne ich mich, tauchte in mir der Gedanke an den Feind doch noch auf. Hoffentlich benutzt der Feind nicht die Gelegenheit, sagte ich zu meinem Nebenmann. – Unsinn, sagte er schweißtriefend, das ist nicht die Zeit. Und aufsehend gewahrte ich weiter unten am Fluß tatsächlich jetzt auch Soldaten des Mithridates bei der Eindämmungsarbeit. Sie arbeiteten mit den unsrigen zusammen und verständigten sich durch Winke und Gesten, da sie ja eine andere Sprache sprachen (so genau war mein Traum in den Einzelheiten).«

Der alte Feldherr hielt in seiner Erzählung inne. Sein kleines, gelbes, zerknittertes Gesicht zeigte einen Ausdruck zwischen Besorgnis und Heiterkeit.

»Ein schöner Traum«, sagte der Dichter ruhig.

»Ja. Wie? Nein.« Der Feldherr blickte unsicher. Dann lachte er. »Ich war nicht glücklich darüber«, sagte er hastig, »als ich aufwachte, war ich sehr unangenehm berührt. Er schien mir der Beweis einer großen Schwäche.«

»Wirklich?« sagte der Dichter erstaunt. Eine Stille trat ein. Dann fing Lukrez wieder an:»Was haben Sie aus dem Traum geschlossen, damals?«

»Daß die Autorität etwas sehr Unsicheres ist, natürlich.«

»Im Traum!«

»Richtig, immerhin...«

Lukullus klatschte in die Hände und die Diener eilten herbei, die Schüsseln wegzutragen. Sie waren noch voll. Auch Lukullus hatte nichts gegessen. Er hatte keinen Appetit in diesen Tagen. Er schlug dem Gast den Besuch seines blauen Saales vor, wo einige neuerworbene Kunstgegenstände zu sehen waren. Sie gingen durch offene Säulengänge in einen Seitenflügel des riesigen Palastes.

Mit seinem Stock hart auf die Marmorfliesen stoßend sprach der kleine Feldherr weiter.

»Mich hat nicht die Zuchtlosigkeit des gemeinen Mannes den Sieg gekostet, sondern die Zuchtlosigkeit der Großen. Ihre Vaterlandsliebe ist die Liebe zu ihren Palästen und Fischteichen. Die römischen Steuerpächter haben sich in Asien mit den dortigen Grundbesitzern gegen mich verbündet. Sie versprachen, mich und das Heer lahmzulegen, dafür händigten ihnen die Grundbesitzer die kleinasiatischen Bauern ein. Mit meinem Nachfolger kamen die Herren besser aus. Das ist wenigstens ein Feldherr, sagten sie, er nimmt. Und sie meinten nicht Festungen. Einem gewissen kleinasiatischen König legte er einen Tribut von 50 Millionen auf. Da aber das Geld in die Staatskasse abgeliefert werden mußte, ›lieh‹ er ihm die Summe und so bekommt er jetzt jährlich 40 % Zinsen. Das sind Eroberungen!«

Lukrez hörte kaum auf das Gerede des alten Mannes, der selber genug aus Asien weggeschleppt hatte, diesen Palast zum Beispiel. Er war in Gedanken immer noch bei dem Traum, der ihm ein merkwürdiges Gegenstück zu einer wahren Begebenheit schien, die sich bei der Eroberung von Amisus durch die Truppen des Lukullus ereignet hatte.

Amisus, die Tochterstadt des herrlichen Athen, voll von unersetzlichen Kunstwerken, war von den Soldaten des Lukullus geplündert und in Brand gesetzt worden, obwohl der

Feldherr, dem Gerücht nach weinend, die Plündernden angefleht hatte, die Kunstwerke zu schonen. Seine Autorität war auch da nicht geachtet worden.

Die eine Begebenheit war ein Traum, die andere Wirklichkeit gewesen. Sollte man sagen: Die Autorität, die den Soldaten das eine verbot, konnte ihnen das andere nicht verwehren? Lukullus schien es, wenn auch nicht erkannt, so doch geahnt zu haben.

Der beste der neuen Kunstgegenstände war eine kleine Nikestatuette aus Ton. Lukrez nahm sie zärtlich in die abgemagerten Hände und betrachtete sie lächelnd.

»Ein guter Meister!« sagte er leise. »Wie arglos sie dasteht und wie liebevoll sie lächelt! Seine Idee war, die Göttin des Sieges wie eine Göttin des Friedens darzustellen! Die Statuette muß einer Zeit entstammen, wo diese Völker noch nicht besiegt waren.«

Lukullus warf ihm einen mißtrauischen Blick zu und nahm sie ebenfalls in die Hand.

»Die Menschheit«, sagte er unvermittelt, »erinnert sich im allgemeinen länger der Mißhandlungen, die sie erfährt, als der Liebkosungen. Was wird aus den Küssen? Aber die Wunden hinterlassen Narben.«

Der Dichter schwieg, sah ihn aber nun seinerseits merkwürdig an.

»Was ist?« fragte der Feldherr. »Habe ich Sie in Erstaunen versetzt?«

»Ein wenig, wenn ich offen sein soll. Fürchten Sie wirklich üble Nachrede in den Geschichtsbüchern?«

»Vielleicht nur – keine Nachrede? Ich weiß nicht, was ich fürchte. Es ist übrigens ein Monat der Furcht, nicht wahr? Sie grassiert eben jetzt. Wie immer nach einem Sieg.«

»Ja, wenn ich recht berichtet bin, sollten Sie eher den Ruhm fürchten in diesen Tagen als die Vergessenheit.«

»Das ist richtig. Ruhm ist für mich gefährlich. Das Gefähr-

lichste. Und, unter uns, da ist etwas Merkwürdiges. Ich bin
Soldat und der Tod hat mich eigentlich nie geschreckt. Jetzt
ist eine Wandlung eingetreten. Der schöne Blick auf die Gärten, das gut zubereitete Essen, die köstlichen Kunstwerke erzeugen in mir eine erstaunliche Schwäche und ich fürchte
zwar noch immer nicht den Tod, aber doch schon die Todesfurcht. Können Sie das erklären?«

Der Dichter sagte nichts.

»Ich weiß«, fuhr der Feldherr etwas hastig fort. »Ich habe
die Stelle Ihres Gedichtes gegenwärtig, ich kann sie sogar,
glaube ich, auswendig, ebenfalls ein schlimmes Zeichen.«

Und er begann, übrigens in trockenem Ton, die schon berühmten Verse des Lukrez über die Todesfurcht herzusagen:

»Nichts ist also der Tod, nichts geht er, zum mindesten,
     uns an!
Sehet ihr Menschen demnach voll Unmut über sich selber
hingesetzt, nach dem Tod dereinst verfaulen zu müssen
oder von Flammen verzehrt, von Tieren gefressen zu werden
glaubt mir, da klingt es nicht rein, es liegt ein verborgener
     Stachel
ihnen im Sinn noch, so sehr ein solcher auch immer behauptet
daß er nicht glaube, Gefühl und Empfindung zu haben im
     Tode.
Was er verspricht, das hält er nicht ganz, wie mich dünkt,
     noch von Herzen
reißt und schleudert sich nicht mit der Wurzel heraus aus dem
     Leben
sondern er läßt von sich selbst, unwissend, noch etwas
     zurück da.
So einer, wie er auch denkt, er trennt sich und sondert sich
     selber
nicht hinlänglich genug von dem hingeworfenen Leichnam
bildet sich ein, er seis und steckt ihn mit seinem Gefühl an:

nicht gewahr, daß nach wirklichem Tod kein anderer Er ist
der, noch lebend, sich selbst, den Verblichenen, könnte
    betrauern
stehend noch, sich Hingestreckten beweinen.«

Der Dichter hatte der Rezitation seiner Verse aufmerksam
zugehört, ein wenig mit Hustenreiz kämpfend. Die Nachtluft!
Er erlag jedoch der Versuchung, seinem Gastgeber noch einige Strophen mitzuteilen, die er aus dem Werk gestrichen
hatte, um die Leser nicht allzusehr zu verstimmen. Er hatte
in ihnen die Gründe entwickelt, die für dieses Festhalten des
Entschwindenden verantwortlich sind.
Mit heiserer Stimme, sehr deutlich, langsam, da er sich erinnern mußte, sagte er die Verse:

»Wenn sie so jammern, das Leben werd ihnen geraubt, dann
    gedenken
diese des Raubs, der an ihnen verübt und den sie verübten
denn auch das Leben, das ihnen geraubt wird, war ein
    geraubtes.
Ach, es entreißen den Fisch, den der Fischer dem Meer
    entriß, gierig
wieder dem Fischer die Händler. Aber das Weib, das den
    Fisch bäckt
ungern nur gießt sie das Öl in die Pfanne mit schmerzlichen
    Blicken
auf den schwindenden Vorrat. O Furcht, ohne Öl zu sein!
    Schrecken
nichts mehr zu haben und nichts zu bekommen! Entsetzen,
    beraubt zu sein!
Keine Gewalttat scheuten die Väter. Mit Mühe nur halten
und indem sie Verbrechen begehn, die Erben das Erbteil.
Ängstlich verbirgt dort der Färber sein kostbar Rezept vor
    dem Kunden

was, wenns bekannt würd? Und dort in der Runde der
    bechernden Künstler
beißt sich ein Dichter die Zung ab: er hat einen Einfall
    verraten!
Schmeichelnd listet der Mann hinterm Strauchwerk dem
    Mädchen den Beischlaf ab
Opfer entlockt der Priester der hungernden Pächterfamilie
und es bemächtigt der Arzt sich des Leibschadens als eines
    Geldquells.
Wer könnt in solcher Welt den Gedanken des Todes ertragen?
Zwischen ›Laß los!‹ und ›Ich halts!‹ bewegt sich das Leben
    und beiden
dem der da hält und dem der entreißt, krümmt sich die Hand sich
    zur Klaue.«

»Ihr wißt gut Bescheid, ihr Verseschreiber«, sagte der kleine
Feldherr nachdenklich. »Aber können Sie mir sagen, warum
ich gerade jetzt, in diesen Tagen von allen, plötzlich wieder
wünsche, es möchte nicht alles vergessen werden was ich getan habe – obgleich mich Ruhm gefährdet und ich nicht gleich-
gültig bin gegen den Tod?«
»Vielleicht ist Ihr Wunsch nach Ruhm ebenfalls Todesfurcht?«
Der Feldherr schien nicht gehört zu haben. Er sah sich scheu
um und winkte dem Lampenträger, zurückzugehen. Als er
einige Schritte weg war, fragte er fast flüsternd, nicht ohne Scham:
»Was denn, meinen Sie, könnte mein Ruhm sein?«
Sie gingen wieder zurück. Die abendliche Stille über den
Gärten wurde durch einen linden Windstoß gestört. Der
Dichter sagte hustend:
»Vielleicht die Eroberung Asiens?« Er merkte, daß der Feld-
herr ihn am Ärmel hielt und erschrocken um sich sah, und
fuhr schnell fort: »Vielleicht auch die köstliche Zubereitung
des Siegesschmauses. Ich weiß nicht.«

Er hatte ohne großes Interesse gesprochen, blieb aber jetzt plötzlich stehen. Mit ausgestrecktem Finger zeigte er auf einen Kirschbaum, der seine weißen Blütenzweige im Wind wiegend auf einem kleinen Hügel stand.

»Haben Sie nicht auch den aus Asien mitgebracht?«

Der Feldherr nickte.

»Vielleicht ist es der?« sagte der Dichter eifrig. »Der Kirschbaum! Freilich, man wird sich wohl kaum da Ihres Namens erinnern. Aber das tut nichts. Asien wird wieder verloren gehn. Und Ihre Gerichte wird man bald kaum noch kochen können, denn da wird Armut sein. Aber der Kirschbaum: einige werden es vielleicht doch noch wissen, daß Sie ihn gebracht haben. Und wenn nicht, wenn alle Trophäen aller Eroberer zu Staub zerfallen sein werden, wird diese schönste Ihrer Trophäen im Frühjahr als die eines unbekannten Eroberers noch immer im Wind auf den Hügeln flattern, Lukullus!«

Meine Großmutter war zweiundsiebzig Jahre alt, als mein Großvater starb. Er hatte eine kleine Lithographenanstalt in einem badischen Städtchen und arbeitete darin mit zwei, drei Gehilfen bis zu seinem Tod. Meine Großmutter besorgte ohne Magd den Haushalt, betreute das alte, wacklige Haus und kochte für die Mannsleute und Kinder.

Sie war eine kleine magere Frau mit lebhaften Eidechsenaugen, aber langsamer Sprechweise. Mit recht kärglichen Mitteln hatte sie fünf Kinder großgezogen – von den sieben, die sie geboren hatte. Davon war sie mit den Jahren kleiner geworden.

Von den Kindern gingen die zwei Mädchen nach Amerika, und zwei Söhne zogen ebenfalls weg. Nur der Jüngste, der eine schwache Gesundheit hatte, blieb im Städtchen. Er wurde Buchdrucker und legte sich eine viel zu große Familie zu.

So war sie allein im Haus, als mein Großvater gestorben war.

Die Kinder schrieben sich Briefe über das Problem, was mit ihr zu geschehen hätte. Einer konnte ihr bei sich ein Heim anbieten, und der Buchdrucker wollte mit den Seinen zu ihr ins Haus ziehen. Aber die Greisin verhielt sich abweisend zu den Vorschlägen und wollte nur von jedem ihrer Kinder, das dazu imstande war, eine kleine geldliche Unterstützung annehmen. Die Lithographenanstalt, längst veraltet, brachte fast nichts beim Verkauf, und es waren auch Schulden da.

Die Kinder schrieben ihr, sie könne doch nicht ganz allein leben, aber als sie darauf überhaupt nicht einging, gaben sie nach und schickten ihr monatlich ein bißchen Geld. Schließlich, dachten sie, war ja der Buchdrucker im Städtchen geblieben. Der Buchdrucker übernahm es auch, seinen Geschwistern mitunter über die Mutter zu berichten. Seine Briefe an meinen Vater, und was dieser bei einem Besuch und nach dem Begräbnis meiner Großmutter zwei Jahre später erfuhr, geben mir ein Bild von dem, was in diesen zwei Jahren geschah.

Es scheint, daß der Buchdrucker von Anfang an enttäuscht war, daß meine Großmutter sich weigerte, ihn in das ziemlich große und nun leerstehende Haus aufzunehmen. Er wohnte mit vier Kindern in drei Zimmern. Aber die Greisin hielt überhaupt nur eine sehr lose Verbindung mit ihm aufrecht. Sie lud die Kinder jeden Sonntagnachmittag zum Kaffee, das war eigentlich alles.

Sie besuchte ihren Sohn ein- oder zweimal in einem Vierteljahr und half der Schwiegertochter beim Beereneinkochen. Die junge Frau entnahm einigen ihrer Äußerungen, daß es ihr in der kleinen Wohnung des Buchdruckers zu eng war. Dieser konnte sich nicht enthalten, in seinem Bericht darüber ein Ausrufezeichen anzubringen.

Auf eine schriftliche Anfrage meines Vaters, was die alte Frau denn jetzt so mache, antwortete er ziemlich kurz, sie besuche das Kino.

Man muß verstehen, daß das nichts Gewöhnliches war, jedenfalls nicht in den Augen ihrer Kinder. Das Kino war vor dreißig Jahren noch nicht, was es heute ist. Es handelte sich um elende, schlecht gelüftete Lokale, oft in alten Kegelbahnen eingerichtet, mit schreienden Plakaten vor dem Eingang, auf denen Morde und Tragödien der Leidenschaft angezeigt waren. Eigentlich gingen nur Halbwüchsige hin oder, des Dunkels wegen, Liebespaare. Eine einzelne alte Frau mußte dort sicher auffallen.

Und so war noch eine andere Seite dieses Kinobesuchs zu bedenken. Der Eintritt war gewiß billig, da aber das Vergnügen ungefähr unter den Schleckereien rangierte, bedeutete es »hinausgeworfenes Geld«. Und Geld hinauszuwerfen, war nicht respektabel.

Dazu kam, daß meine Großmutter nicht nur mit ihrem Sohn am Ort keinen regelmäßigen Verkehr pflegte, sondern auch sonst niemanden von ihren Bekannten besuchte oder einlud. Sie ging niemals zu den Kaffeegesellschaften des Städtchens. Dafür besuchte sie häufig die Werkstatt eines Flickschusters in einem armen und sogar etwas verrufenen Gäßchen, in der, besonders nachmittags, allerlei nicht besonders respektable Existenzen herumsaßen, stellungslose Kellnerinnen und Handwerksbursche. Der Flickschuster war ein Mann in mittleren Jahren, der in der ganzen Welt herumgekommen war, ohne es zu etwas gebracht zu haben. Es hieß auch, daß er trank. Er war jedenfalls kein Verkehr für meine Großmutter.

Der Buchdrucker deutete in einem Brief an, daß er seine Mutter darauf hingewiesen, aber einen recht kühlen Bescheid bekommen habe. »Er hat etwas gesehen«, war ihre Antwort, und das Gespräch war damit zu Ende. Es war nicht leicht, mit meiner Großmutter über Dinge zu reden, die sie nicht bereden wollte.

Etwa ein halbes Jahr nach dem Tod des Großvaters schrieb der Buchdrucker meinem Vater, daß die Mutter jetzt jeden zweiten Tag im Gasthof esse.

Was für eine Nachricht!

Großmutter, die zeit ihres Lebens für ein Dutzend Menschen gekocht und immer nur die Reste aufgegessen hatte, aß jetzt im Gasthof! Was war in sie gefahren?

Bald darauf führte meinen Vater eine Geschäftsreise in die Nähe, und er besuchte seine Mutter.

Er traf sie im Begriffe, auszugehen. Sie nahm den Hut wieder ab und setzte ihm ein Glas Rotwein mit Zwieback vor. Sie schien ganz ausgeglichener Stimmung zu sein, weder besonders aufgekratzt noch besonders schweigsam. Sie erkundigte sich nach uns, allerdings nicht sehr eingehend, und wollte hauptsächlich wissen, ob es für die Kinder auch

Kirschen gäbe. Da war sie ganz wie immer. Die Stube war natürlich peinlich sauber, und sie sah gesund aus.

Das einzige, was auf ihr neues Leben hindeutete, war, daß sie nicht mit meinem Vater auf den Gottesacker gehen wollte, das Grab ihres Mannes zu besuchen. »Du kannst allein hingehen«, sagte sie beiläufig, »es ist das dritte von links in der elften Reihe. Ich muß noch wohin.«

Der Buchdrucker erklärte nachher, daß sie wahrscheinlich zu ihrem Flickschuster mußte. Er klagte sehr.

»Ich sitze hier in diesen Löchern mit den Meinen und habe nur noch fünf Stunden Arbeit und schlecht bezahlte, dazu macht mir mein Asthma wieder zu schaffen, und das Haus in der Hauptstraße steht leer.«

Mein Vater hatte im Gasthof ein Zimmer genommen, aber erwartet, daß er zum Wohnen doch von seiner Mutter eingeladen werden würde, wenigstens pro forma, aber sie sprach nicht davon. Und sogar als das Haus voll gewesen war, hatte sie immer etwas dagegen gehabt, daß er nicht bei ihnen wohnte und dazu das Geld für das Hotel ausgab!

Aber sie schien mit ihrem Familienleben abgeschlossen zu haben und neue Wege zu gehen, jetzt, wo ihr Leben sich neigte. Mein Vater, der eine gute Portion Humor besaß, fand sie ›ganz munter‹ und sagte meinem Onkel, er solle die alte Frau machen lassen, was sie wolle.

Aber was wollte sie?

Das nächste, was berichtet wurde, war, daß sie eine Bregg bestellt hatte und nach einem Ausflugsort gefahren war, an einem gewöhnlichen Donnerstag. Eine Bregg war ein großes, hochrädriges Pferdegefährt mit Plätzen für ganze Familien. Einige wenige Male, wenn wir Enkelkinder zu Besuch gekommen waren, hatte Großvater die Bregg gemietet. Großmutter war immer zu Hause geblieben. Sie hatte es mit einer wegwerfenden Handbewegung abgelehnt, mitzukommen.

Und nach der Bregg kam die Reise nach K., einer größeren Stadt, etwa zwei Eisenbahnstunden entfernt. Dort war ein Pferderennen, und zu dem Pferderennen fuhr meine Großmutter.

Der Buchdrucker war jetzt durch und durch alarmiert. Er wollte einen Arzt hinzugezogen haben. Mein Vater schüttelte den Kopf, als er den Brief las, lehnte aber die Hinzuziehung eines Arztes ab.

Nach K. war meine Großmutter nicht allein gefahren. Sie hatte ein junges Mädchen mitgenommen, eine halb Schwachsinnige, wie der Buchdrucker schrieb, das Küchenmädchen des Gasthofs, in dem die Greisin jeden zweiten Tag speiste.

Dieser ›Krüppel‹ spielte von jetzt an eine Rolle.

Meine Großmutter schien einen Narren an ihr gefressen zu haben. Sie nahm sie mit ins Kino und zum Flickschuster, der sich übrigens als Sozialdemokrat herausgestellt hatte, und es ging das Gerücht, daß die beiden Frauen bei einem Glas Rotwein in der Küche Karten spielten.

»Sie hat dem Krüppel jetzt einen Hut gekauft mit Rosen drauf«, schrieb der Buchdrucker verzweifelt. »Und unsere Anna hat kein Kommunionskleid!«

Die Briefe meines Onkels wurden ganz hysterisch, handelten nur von der ›unwürdigen Aufführung unserer lieben Mutter‹ und gaben sonst nichts mehr her. Das Weitere habe ich von meinem Vater.

Der Gastwirt hatte ihm mit Augenzwinkern zugeraunt: »Frau B. amüsiert sich ja jetzt, wie man hört.«

In Wirklichkeit lebte meine Großmutter auch diese letzten Jahre keinesfalls üppig. Wenn sie nicht im Gasthof aß, nahm sie meist nur ein wenig Eierspeise zu sich, etwas Kaffee und vor allem ihren geliebten Zwieback. Dafür leistete sie sich einen billigen Rotwein, von dem sie zu allen Mahlzeiten ein kleines Glas trank. Das Haus hielt sie sehr rein, und nicht nur die Schlafstube und die Küche, die sie benutzte. Jedoch nahm sie darauf ohne Wissen ihrer Kinder eine Hypothek auf. Es kam niemals heraus, was sie mit dem Geld machte. Sie scheint es dem Flickschuster gegeben zu haben. Er zog nach ihrem Tod in eine andere Stadt und soll dort ein größeres Geschäft für Maßschuhe eröffnet haben.

Genau betrachtet lebte sie hintereinander zwei Leben. Das eine, erste, als Tochter, als Frau und als Mutter, und das zweite einfach als Frau B., eine alleinstehende Person ohne Verpflichtungen und mit bescheidenen, aber ausreichenden Mitteln. Das erste Leben dauerte etwa sechs Jahrzehnte, das zweite nicht mehr als zwei Jahre.

Mein Vater brachte in Erfahrung, daß sie im letzten halben Jahr sich gewisse Freiheiten gestattete, die normale Leute gar nicht kennen. So konnte sie im Sommer früh um drei Uhr aufstehen und durch die leeren Straßen des Städtchens spazieren, das sie so für sich ganz allein hatte. Und den Pfarrer, der sie besuchen kam, um der alten Frau in ihrer Vereinsamung Gesellschaft zu leisten, lud sie, wie allgemein behauptet wurde, ins Kino ein!

Sie war keineswegs vereinsamt. Bei dem Flickschuster verkehrten anscheinend lauter lustige Leute, und es wurde viel erzählt. Sie hatte dort immer eine Flasche ihres eigenen Rotweins stehen, und daraus trank sie ihr Gläschen, während die anderen erzählten und über die würdigen Autoritäten der Stadt loszogen. Dieser Rotwein blieb für sie reserviert, jedoch brachte sie mitunter der Gesellschaft stärkere Getränke mit.

Sie starb ganz unvermittelt, an einem Herbstnachmittag in ihrem Schlafzimmer, aber nicht im Bett, sondern auf dem Holzstuhl am Fenster. Sie hatte den ›Krüppel‹ für den Abend ins Kino eingeladen, und so war das Mädchen bei ihr, als sie starb. Sie war vierundsiebzig Jahre alt.

Ich habe eine Photographie von ihr gesehen, die sie auf dem Totenbett zeigt und die für die Kinder angefertigt worden war.

Man sieht ein winziges Gesichtchen mit vielen Falten und einen schmallippigen, aber breiten Mund. Viel Kleines, aber nichts Kleinliches. Sie hatte die langen Jahre der Knechtschaft und die kurzen Jahre der Freiheit ausgekostet und das Brot des Lebens aufgezehrt bis auf den letzten Brosamen.

Zu der Zeit des Dreißigjährigen Krieges besaß ein Schweizer Protestant namens Zingli eine große Gerberei mit einer Lederhandlung in der freien Reichsstadt Augsburg am Lech. Er war mit einer Augsburgerin verheiratet und hatte ein Kind von ihr. Als die Katholischen auf die Stadt zu marschierten, rieten ihm seine Freunde dringend zur Flucht, aber, sei es, daß seine kleine Familie ihn hielt, sei es, daß er seine Gerberei nicht im Stich lassen wollte, er konnte sich jedenfalls nicht entschließen, beizeiten wegzureisen.

So war er noch in der Stadt, als die kaiserlichen Truppen sie stürmten, und als am Abend geplündert wurde, versteckte er sich in einer Grube im Hof, wo die Farben aufbewahrt wurden. Seine Frau sollte mit dem Kind zu ihren Verwandten in die Vorstadt ziehen, aber sie hielt sich zu lange damit auf, ihre Sachen, Kleider, Schmuck und Betten zu packen, und so sah sie plötzlich, von einem Fenster des ersten Stockes aus, eine Rotte kaiserlicher Soldaten in den Hof dringen. Außer sich vor Schrecken ließ sie alles stehen und liegen und rannte durch eine Hintertür aus dem Anwesen.

So blieb das Kind im Hause zurück. Es lag in der großen Diele in seiner Wiege und spielte mit einem Holzball, der an einer Schnur von der Decke hing.

Nur eine junge Magd war noch im Hause. Sie hantierte in der Küche mit dem Kupferzeug, als sie Lärm von der Gasse her hörte. Ans Fenster stürzend, sah sie, wie aus dem ersten Stock des Hauses gegenüber von Soldaten allerhand Beutestücke auf die Gasse geworfen wurden. Sie lief in die Diele und wollte eben das Kind aus der Wiege nehmen, als sie das Geräusch schwerer Schläge gegen die eichene Haustür hörte. Sie wurde von Panik ergriffen und flog die Treppe hinauf.

Die Diele füllte sich mit betrunkenen Soldaten, die alles kurz und klein schlugen. Sie wußten, daß sie sich im Haus eines Protestanten befanden. Wie durch ein Wunder blieb bei der Durchsuchung und Plünderung Anna, die Magd, unentdeckt. Die Rotte verzog sich, und aus dem Schrank herauskletternd, in dem sie gestanden war, fand Anna auch das Kind in der Diele unversehrt. Sie nahm es hastig an sich und schlich mit ihm auf den Hof hinaus. Es war inzwischen Nacht geworden, aber der rote Schein eines in der Nähe brennenden Hauses erhellte den Hof, und entsetzt erblickte sie die übel zugerichtete Leiche des Hausherrn. Die Soldaten hatten ihn aus seiner Grube gezogen und erschlagen.

Erst jetzt wurde der Magd klar, welche Gefahr sie lief, wenn sie mit dem Kind des Protestanten auf der Straße aufgegriffen wurde. Sie legte es schweren Herzens in die Wiege zurück, gab ihm etwas Milch zu trinken, wiegte es in Schlaf und machte sich auf den Weg in den Stadtteil, wo ihre verheiratete Schwester wohnte. Gegen zehn Uhr nachts drängte sie sich, begleitet vom Mann ihrer Schwester, durch das Getümmel der ihren Sieg feiernden Soldaten, um in der Vorstadt Frau Zingli, die Mutter des Kindes, aufzusuchen. Sie klopften an die Tür eines mächtigen Hauses, die sich nach geraumer Zeit auch ein wenig öffnete. Ein kleiner alter Mann, Frau Zinglis Onkel, steckte den Kopf heraus. Anna berichtete atemlos, daß Herr Zingli tot, das Kind aber unversehrt im Hause sei. Der Alte sah sie kalt aus fischigen Augen an und sagte, seine Nichte sei nicht mehr da, und er selber habe mit dem Protestantenbankert nichts zu schaffen. Damit machte er die Tür wieder zu. Im Weggehen sah Annas Schwager, wie sich ein Vorhang in einem der Fenster bewegte, und gewann die Überzeugung, daß Frau Zingli da war. Sie schämte sich anscheinend nicht, ihr Kind zu verleugnen.

Eine Zeitlang gingen Anna und ihr Schwager schweigend nebeneinander her. Dann erklärte sie ihm, daß sie in die

Gerberei zurück und das Kind holen wolle. Der Schwager, ein ruhiger, ordentlicher Mann, hörte sie erschrocken an und suchte ihr die gefährliche Idee auszureden. Was hatte sie mit diesen Leuten zu tun? Sie war nicht einmal anständig behandelt worden.

Anna hörte ihm still zu und versprach ihm, nichts Unvernünftiges zu tun. Jedoch wollte sie unbedingt noch schnell in die Gerberei schauen, ob dem Kind nichts fehle. Und sie wollte allein gehen.

Sie setzte ihren Willen durch. Mitten in der zerstörten Halle lag das Kind ruhig in seiner Wiege und schlief. Anna setzte sich müde zu ihm und betrachtete es. Sie hatte nicht gewagt, ein Licht anzuzünden, aber das Haus in der Nähe brannte immer noch, und bei diesem Licht konnte sie das Kind ganz gut sehen. Es hatte einen winzigen Leberfleck am Hälschen.

Als die Magd einige Zeit, vielleicht eine Stunde, zugesehen hatte, wie das Kind atmete und an seiner kleinen Faust saugte, erkannte sie, daß sie zu lange gesessen und zu viel gesehen hatte, um noch ohne das Kind weggehen zu können. Sie stand schwerfällig auf, und mit langsamen Bewegungen hüllte sie es in die Leinendecke, hob es auf den Arm und verließ mit ihm den Hof, sich scheu umschauend, wie eine Person mit schlechtem Gewissen, eine Diebin.

Sie brachte das Kind, nach langen Beratungen mit Schwester und Schwager, zwei Wochen darauf aufs Land in das Dorf Großaitingen, wo ihr älterer Bruder Bauer war. Der Bauernhof gehörte der Frau, er hatte nur eingeheiratet. Es war ausgemacht worden, daß sie vielleicht nur dem Bruder sagen sollte, wer das Kind war, denn sie hatten die junge Bäuerin nie zu Gesicht bekommen und wußten nicht, wie sie einen so gefährlichen kleinen Gast aufnehmen würde.

Anna kam gegen Mittag im Dorf an. Ihr Bruder, seine Frau und das Gesinde saßen beim Mittagessen. Sie wurde nicht schlecht empfangen, aber ein Blick auf ihre neue Schwägerin veranlaßte sie, das Kind sogleich als ihr eigenes vorzustellen. Erst nachdem sie erzählt hatte, daß ihr Mann in einem entfernten Dorf eine Stellung in einer Mühle hatte und sie dort mit dem Kind in ein paar Wochen erwartete, taute die Bäuerin auf, und das Kind wurde gebührend bewundert.

Nachmittags begleitete sie ihren Bruder ins Gehölz, Holz sammeln. Sie setzten sich auf Baumstümpfe, und Anna schenkte ihm reinen Wein ein. Sie konnte sehen, daß ihm nicht wohl in seiner Haut war. Seine Stellung auf dem Hof war noch nicht gefestigt, und er lobte Anna sehr, daß sie seiner Frau gegenüber den Mund gehalten hatte. Es war klar, daß er seiner jungen Frau keine besonders großzügige Haltung gegenüber dem Protestantenkind zutraute. Er wollte, daß die Täuschung aufrechterhalten wurde.

Das war nun auf die Länge nicht leicht.

Anna arbeitete bei der Ernte mit und pflegte ›ihr‹ Kind zwischendurch, immer wieder vom Feld nach Hause laufend, wenn die andern ausruhten. Der Kleine gedieh und wurde sogar dick, lachte, so oft er Anna sah, und suchte kräftig den Kopf zu heben. Aber dann kam der Winter, und die Schwägerin begann sich nach Annas Mann zu erkundigen.

Es sprach nichts dagegen, daß Anna auf dem Hof blieb, sie konnte sich nützlich machen. Das Schlimme war, daß die Nachbarn sich über den Vater von Annas Jungen wunderten, weil der nie kam, nach ihm zu sehen. Wenn sie keinen Vater für ihr Kind zeigen konnte, mußte der Hof bald ins Gerede kommen.

An einem Sonntagmorgen spannte der Bauer an und hieß Anna laut mitkommen, ein Kalb in einem Nachbardorf abzuholen. Auf dem ratternden Fahrweg teilte er ihr mit, daß er für sie einen Mann gesucht und gefunden hätte. Es war ein todkranker Häusler, der kaum den ausgemergelten Kopf vom schmierigen Laken heben konnte, als die beiden in seiner niedrigen Hütte standen.

Er war willig, Anna zu ehelichen. Am Kopfende des Lagers stand eine gelbhäutige Alte, seine Mutter. Sie sollte ein Entgelt für den Dienst, der Anna erwiesen wurde, bekommen.

Das Geschäft war in zehn Minuten ausgehandelt, und Anna und ihr Bruder konnten weiterfahren und ihr Kalb erstehen. Die Verehelichung fand Ende derselben Woche statt. Während der Pfarrer die Trauungsformel murmelte, wandte der Kranke nicht ein einziges Mal den glasigen Blick auf Anna. Ihr Bruder zweifelte nicht, daß sie den Totenschein in wenigen Tagen haben würden. Dann war Annas Mann und Kindsvater auf dem Weg zu ihr in einem Dorf bei Augsburg irgendwo gestorben, und niemand würde sich wundern, wenn die Witwe im Haus ihres Bruders bleiben würde.

Anna kam froh von ihrer seltsamen Hochzeit zurück, auf der es weder Kirchenglocken noch Blechmusik, weder Jungfern noch Gäste gegeben hatte. Sie verzehrte als Hochzeitsschmaus ein Stück Brot mit einer Scheibe Speck in der Speisekammer und trat mit ihrem Bruder dann vor die Kiste, in der das Kind lag, das jetzt einen Namen hatte. Sie stopfte das Laken fester und lachte ihren Bruder an.

Der Totenschein ließ allerdings auf sich warten.

Es kam weder die nächste noch die übernächste Woche Bescheid von der Alten. Anna hatte auf dem Hof erzählt, daß ihr Mann nun auf dem Weg zu ihr sei. Sie sagte nunmehr, wenn man sie fragte, wo er bliebe, der tiefe Schnee mache wohl die Reise beschwerlich. Aber nachdem weitere drei Wochen vergangen waren, fuhr ihr Bruder doch, ernstlich beunruhigt, in das Dorf bei Augsburg.

Er kam spät in der Nacht zurück. Anna war noch auf und lief zur Tür, als sie das Fuhrwerk auf dem Hof knarren hörte. Sie sah, wie langsam der Bauer ausspannte, und ihr Herz krampfte sich zusammen.

Er brachte üble Nachricht. In die Hütte tretend hatte er den Todgeweihten beim Abendessen am Tisch sitzend vorgefunden, in Hemdsärmeln, mit beiden Backen kauend. Er war wieder völlig gesundet.

Der Bauer sah Anna nicht ins Gesicht, als er weiter berichtete. Der Häusler, er hieß übrigens Otterer, und seine Mutter schienen über die Wendung ebenfalls überrascht und waren wohl noch zu keinem Entschluß gekommen, was zu geschehen hätte. Otterer habe keinen unangenehmen Eindruck gemacht. Er hatte wenig gesprochen, jedoch einmal seine Mutter, als sie darüber jammern wollte, daß er nun ein ungewünschtes Weib und ein fremdes Kind auf dem Hals habe, zum Schweigen verwiesen. Er aß bedächtig seine Käsespeise weiter während der Unterhaltung und aß noch, als der Bauer wegging.

Die nächsten Tage war Anna natürlich sehr bekümmert. Zwischen ihrer Hausarbeit lehrte sie den Jungen gehen. Wenn er den Spinnrocken losließ und mit ausgestreckten Ärmchen auf sie zugewackelt kam, unterdrückte sie ein trockenes Schluchzen und umklammerte ihn fest, wenn sie ihn auffing.

Einmal fragte sie ihren Bruder: Was ist er für einer? Sie hatte ihn nur auf dem Sterbebett gesehen und nur abends, beim Schein einer schwachen Kerze. Jetzt erfuhr sie, daß ihr Mann ein abgearbeiteter Fünfziger sei, halt so, wie ein Häusler ist.

Bald darauf sah sie ihn. Ein Hausierer hatte ihr mit einem großen Aufwand an Heimlichkeit ausgerichtet, daß ›ein gewisser Bekannter‹ sie an dem und dem Tag zu der und der Stunde bei dem und dem Dorf, da wo der Fußweg nach Landsberg abgeht, treffen wolle. So begegneten die Verehelichten sich zwischen ihren Dörfern wie die antiken Feldherren zwischen ihren Schlachtreihen, im offenen Gelände, das vom Schnee bedeckt war.

Der Mann gefiel Anna nicht.

Er hatte kleine graue Zähne, sah sie von oben bis unten an,

obwohl sie in einem dicken Schafspelz steckte und nicht viel zu sehen war, und gebrauchte dann die Wörter ›Sakrament der Ehe‹. Sie sagte ihm kurz, sie müsse sich alles noch überlegen und er möchte ihr durch irgendeinen Händler oder Schlächter, der durch Großaitingen kam, vor ihrer Schwägerin ausrichten lassen, er werde jetzt bald kommen und sei nur auf dem Weg erkrankt.

Otterer nickte in seiner bedächtigen Weise. Er war über einen Kopf größer als sie und blickte immer auf ihre linke Halsseite beim Reden, was sie aufbrachte.

Die Botschaft kam aber nicht, und Anna ging mit dem Gedanken um, mit dem Kind einfach vom Hof zu gehen und weiter südwärts, etwa in Kempten oder Sonthofen, eine Stellung zu suchen. Nur die Unsicherheit der Landstraßen, über die viel geredet wurde, und daß es mitten im Winter war, hielt sie zurück.

Der Aufenthalt auf dem Hof wurde aber jetzt schwierig. Die Schwägerin stellte am Mittagstisch vor allem Gesinde mißtrauische Fragen nach ihrem Mann. Als sie einmal sogar, mit falschem Mitleid auf das Kind sehend, laut ›armes Wurm‹ sagte, beschloß Anna, doch zu gehen, aber da wurde das Kind krank.

Es lag unruhig mit hochrotem Kopf und trüben Augen in seiner Kiste, und Anna wachte ganze Nächte über ihm in Angst und Hoffnung. Als es sich wieder auf dem Weg zur Besserung befand und sein Lächeln zurückgefunden hatte, klopfte es eines Vormittags an die Tür, und herein trat Otterer.

Es war niemand außer Anna und dem Kind in der Stube, so daß sie sich nicht verstellen mußte, was ihr bei ihrem Schrecken auch wohl unmöglich gewesen wäre. Sie standen eine gute Weile wortlos, dann äußerte Otterer, er habe die Sache seinerseits überlegt und sei gekommen, sie zu holen. Er erwähnte wieder das Sakrament der Ehe.

Anna wurde böse. Mit fester, wenn auch unterdrückter Stimme sagte sie dem Mann, sie denke nicht daran, mit ihm zu leben, sie sei die Ehe nur eingegangen ihres Kindes wegen und wolle von ihm nichts, als daß er ihr und dem Kind seinen Namen gebe.

Otterer blickte, als sie von dem Kind sprach, flüchtig nach der Richtung der Kiste, in der es lag und brabbelte, trat aber nicht hinzu. Das nahm Anna noch mehr gegen ihn ein.

Er ließ ein paar Redensarten fallen; sie solle sich alles noch einmal überlegen, bei ihm sei Schmalhans Küchenmeister, und seine Mutter könne in der Küche schlafen. Dann kam die Bäuerin herein, begrüßte ihn neugierig und lud ihn zum Mittagessen. Den Bauern begrüßte er, schon am Teller sitzend, mit einem nachlässigen Kopfnicken, weder vortäuschend, er kenne ihn nicht, noch verratend, daß er ihn kannte. Auf die Fragen der Bäuerin antwortete er einsilbig, seine Blicke nicht vom Teller hebend, er habe in Mering eine Stelle gefunden, und Anna könne zu ihm ziehen. Jedoch sagte er nichts mehr davon, daß dies gleich sein müsse.

Am Nachmittag vermied er die Gesellschaft des Bauern und hackte hinter dem Haus Holz, wozu ihn niemand aufgefordert hatte. Nach dem Abendessen, an dem er wieder schweigend teilnahm, trug die Bäuerin selber ein Deckbett in Annas Kammer, damit er dort übernachten konnte, aber da stand er merkwürdigerweise schwerfällig auf und murmelte, daß er noch am selben Abend zurück müsse. Bevor er ging, starrte er mit abwesendem Blick in die Kiste mit dem Kind, sagte aber nichts und rührte es nicht an.

In der Nacht wurde Anna krank und verfiel in ein Fieber, das wochenlang dauerte. Die meiste Zeit lag sie teilnahmslos, nur ein paarmal gegen Mittag, wenn das Fieber etwas nachließ, kroch sie zu der Kiste mit dem Kind und stopfte die Decke zurecht.

In der vierten Woche ihrer Krankheit fuhr Otterer mit einem

Leiterwagen auf dem Hof vor und holte sie und das Kind ab. Sie ließ es wortlos geschehen.

Nur sehr langsam kam sie wieder zu Kräften, kein Wunder bei den dünnen Suppen der Häuslerhütte. Aber eines Morgens sah sie, wie schmutzig das Kind gehalten war, und stand entschlossen auf.

Der Kleine empfing sie mit seinem freundlichen Lächeln, von dem ihr Bruder immer behauptet hatte, er habe es von ihr. Er war gewachsen und kroch mit unglaublicher Geschwindigkeit in der Kammer herum, mit den Händen aufpatschend und kleine Schreie ausstoßend, wenn er auf das Gesicht niederfiel. Sie wusch ihn in einem Holzzuber und gewann ihre Zuversicht zurück.

Wenige Tage später freilich konnte sie das Leben in der Hütte nicht mehr aushalten. Sie wickelte den Kleinen in ein paar Decken, steckte ein Brot und etwas Käse ein und lief weg.

Sie hatte vor, nach Sonthofen zu kommen, kam aber nicht weit. Sie war noch recht schwach auf den Beinen, die Landstraße lag unter der Schneeschmelze, und die Leute in den Dörfern waren durch den Krieg sehr mißtrauisch und geizig geworden. Am dritten Tag ihrer Wanderung verstauchte sie sich den Fuß in einem Straßengraben und wurde nach vielen Stunden, in denen sie um das Kind bangte, auf einen Hof gebracht, wo sie im Stall liegen mußte. Der Kleine kroch zwischen den Beinen der Kühe herum und lachte nur, wenn sie ängstlich aufschrie. Am Ende mußte sie den Leuten des Hofs den Namen ihres Mannes sagen, und er holte sie wieder nach Mering.

Von nun an machte sie keinen Fluchtversuch mehr und nahm ihr Los hin. Sie arbeitete hart. Es war schwer, aus dem kleinen Acker etwas herauszuholen und die winzige Wirtschaft in Gang zu halten. Jedoch war der Mann nicht unfreundlich zu ihr, und der Kleine wurde satt. Auch kam ihr Bruder mitunter

herüber und brachte dies und jenes als Präsent, und einmal
konnte sie dem Kleinen sogar ein Röcklein rot einfärben lassen.
Das, dachte sie, mußte dem Kind eines Färbers gut stehen.

Mit der Zeit wurde sie ganz zufrieden gestimmt und erlebte
viele Freude bei der Erziehung des Kleinen. So vergingen
mehrere Jahre.

Aber eines Tages ging sie ins Dorf Sirup holen, und als sie
zurückkehrte, war das Kind nicht in der Hütte, und ihr
Mann berichtete ihr, daß eine feingekleidete Frau in einer
Kutsche vorgefahren sei und das Kind geholt habe. Sie tau-
melte an die Wand vor Entsetzen, und am selben Abend
noch machte sie sich, nur ein Bündel mit Eßbarem tragend,
auf den Weg nach Augsburg.

Ihr erster Gang in der Reichsstadt war zur Gerberei. Sie
wurde nicht vorgelassen und bekam das Kind nicht zu sehen.

Schwester und Schwager versuchten vergebens, ihr Trost zu-
zureden. Sie lief zu den Behörden und schrie außer sich, man
habe ihr Kind gestohlen. Sie ging so weit, anzudeuten, daß
Protestanten ihr Kind gestohlen hätten. Sie erfuhr daraufhin,
daß jetzt andere Zeiten herrschten und zwischen Katholiken
und Protestanten Frieden geschlossen worden sei.

Sie hätte kaum etwas ausgerichtet, wenn ihr nicht ein besonderer Glücksumstand zu Hilfe gekommen wäre. Ihre Rechts-
sache wurde an einen Richter verwiesen, der ein ganz besonderer Mann war.

Es war das der Richter Ignaz Dollinger, in ganz Schwaben
berühmt wegen seiner Grobheit und Gelehrsamkeit, vom
Kurfürsten von Bayern, mit dem er einen Rechtsstreit der
freien Reichsstadt ausgetragen hatte, ›dieser lateinische Mist-
bauer‹ getauft, vom niedrigen Volk aber in einer langen
Moritat löblich besungen.

Von Schwester und Schwager begleitet kam Anna vor ihn.
Der kurze, aber ungemein fleischige alte Mann saß in einer
winzigen kahlen Stube zwischen Stößen von Pergamenten

und hörte sie nur ganz kurz an. Dann schrieb er etwas auf ein Blatt, brummte: »Tritt dorthin, aber mach schnell!« und dirigierte sie mit seiner kleinen plumpen Hand an eine Stelle des Raums, auf die durch das schmale Fenster das Licht fiel. Für einige Minuten sah er genau ihr Gesicht an, dann winkte er sie mit einem Stoßseufzer weg.

Am nächsten Tag ließ er sie durch einen Gerichtsdiener holen und schrie sie, als sie noch auf der Schwelle stand, an: »Warum hast du keinen Ton davon gesagt, daß es um eine Gerberei mit einem pfundigen Anwesen geht?«

Anna sagte verstockt, daß es ihr um das Kind gehe.

»Bild dir nicht ein, daß du die Gerberei schnappen kannst«, schrie der Richter. »Wenn der Bankert wirklich deiner ist, fällt das Anwesen an die Verwandten von dem Zingli.«

Anna nickte, ohne ihn anzuschauen. Dann sagte sie: »Er braucht die Gerberei nicht.«

»Ist er deiner?« bellte der Richter.

»Ja«, sagte sie leise. »Wenn ich ihn nur so lange behalten dürfte, bis er alle Wörter kann. Er weiß erst sieben.«

Der Richter hustete und ordnete die Pergamente auf seinem Tisch. Dann sagte er ruhiger, aber immer noch in ärgerlichem Ton:

»Du willst den Knirps, und die Ziege da mit ihren fünf Seidenröcken will ihn. Aber er braucht die rechte Mutter.«

»Ja«, sagte Anna und sah den Richter an.

»Verschwind«, brummte er. »Am Samstag halt ich Gericht.«

An diesem Samstag war die Hauptstraße und der Platz vor dem Rathaus am Perlachturm schwarz von Menschen, die dem Prozeß um das Protestantenkind beiwohnen wollten. Der sonderbare Fall hatte von Anfang an viel Aufsehen erregt, und in Wohnungen und Wirtschaften wurde darüber gestritten, wer die echte und wer die falsche Mutter war. Auch war der alte Dollinger weit und breit berühmt wegen seiner volkstümlichen Prozesse mit ihren bissigen Redensarten und Weisheitssprüchen. Seine Verhandlungen waren beliebter als Plärrer und Kirchweih.

So stauten sich vor dem Rathaus nicht nur viele Augsburger; auch nicht wenige Bauersleute der Umgegend waren da. Freitag war Markttag, und sie hatten in Erwartung des Prozesses in der Stadt übernachtet.

Der Saal, in dem der Richter Dollinger verhandelte, war der sogenannte Goldene Saal. Er war berühmt als einziger Saal von dieser Größe in ganz Deutschland, der keine Säulen hatte; die Decke war an Ketten im Dachfirst aufgehängt.

Der Richter Dollinger saß, ein kleiner runder Fleischberg, vor dem geschlossenen Erztor der einen Längswand. Ein gewöhnliches Seil trennte die Zuhörer ab. Aber der Richter saß auf ebenem Boden und hatte keinen Tisch vor sich. Er hatte selber vor Jahren diese Anordnung getroffen; er hielt viel von Aufmachung.

Anwesend innerhalb des abgeseilten Raums waren Frau Zingli mit ihren Eltern, die zugereisten Schweizer Verwandten des verstorbenen Herrn Zingli, zwei gutgekleidete würdige Männer, aussehend wie wohlbestallte Kaufleute, und Anna Otterer mit ihrer Schwester. Neben Frau Zingli sah man eine Amme mit dem Kind.

Alle, Parteien und Zeugen, standen. Der Richter Dollinger pflegte zu sagen, daß die Verhandlungen kürzer ausfielen, wenn die Beteiligten stehen mußten. Aber vielleicht ließ er sie auch nur stehen, damit sie ihn vor dem Publikum verdeckten, so daß man ihn nur sah, wenn man sich auf die Fußzehen stellte und den Hals ausrenkte.

Zu Beginn der Verhandlung kam es zu einem Zwischenfall. Als Anna das Kind erblickte, stieß sie einen Schrei aus und trat vor, und das Kind wollte zu ihr, strampelte heftig in den Armen der Amme und fing an zu brüllen. Der Richter ließ es aus dem Saal bringen.

Dann rief er Frau Zingli auf.

Sie kam vorgerauscht und schilderte, ab und zu ein Sack-
tüchlein an die Augen lüftend, wie bei der Plünderung die
kaiserlichen Soldaten ihr das Kind entrissen hätten. Noch
in derselben Nacht war die Magd in das Haus ihres Vaters gekommen und hatte berichtet, das Kind sei noch im Haus,
wahrscheinlich in Erwartung eines Trinkgelds. Eine Köchin
ihres Vaters habe jedoch das Kind, in die Gerberei geschickt,
nicht vorgefunden, und sie nehme an, die Person (sie deutete
auf Anna) habe sich seiner bemächtigt, um irgendwie Geld
erpressen zu können. Sie wäre auch wohl über kurz oder lang
mit solchen Forderungen hervorgekommen, wenn man ihr
nicht zuvor das Kind abgenommen hätte.

Der Richter Dollinger rief die beiden Verwandten des Herrn
Zingli auf und fragte sie, ob sie sich damals nach Herrn
Zingli erkundigt hätten und was ihnen von Frau Zingli er-
zählt worden sei.

Sie sagten aus, Frau Zingli habe sie wissen lassen, ihr Mann
sei erschlagen worden, und das Kind habe sie einer Magd
anvertraut, bei der es in guter Hut sei. Sie sprachen sehr
unfreundlich von ihr, was allerdings kein Wunder war, denn
das Anwesen fiel an sie, wenn der Prozeß für Frau Zingli
verlorenging.

Nach ihrer Aussage wandte sich der Richter wieder an Frau
Zingli und wollte von ihr wissen, ob sie nicht einfach bei dem
Überfall damals den Kopf verloren und das Kind im Stich ge-
lassen habe.

Frau Zingli sah ihn mit ihren blassen blauen Augen wie verwundert an und sagte gekränkt, sie habe ihr Kind nicht im
Stich gelassen.

Der Richter Dollinger räusperte sich und fragte sie interessiert, ob sie glaube, daß keine Mutter ihr Kind im Stich lassen
könnte.

Ja, das glaube sie, sagte sie fest.

Ob sie dann glaube, fragte der Richter weiter, daß einer

Mutter, die es doch tue, der Hintern verhauen werden müßte, gleichgültig, wie viele Röcke sie darüber trage?

Frau Zingli gab keine Antwort, und der Richter rief die frühere Magd Anna auf. Sie trat schnell vor und sagte mit leiser Stimme, was sie schon bei der Voruntersuchung gesagt hatte. Sie redete aber, als ob sie zugleich horchte, und ab und zu blickte sie nach der großen Tür, hinter die man das Kind gebracht hatte, als fürchtete sie, daß es immer noch schreie.

Sie sagte aus, sie sei zwar in jener Nacht zum Haus von Frau Zinglis Onkel gegangen, dann aber nicht in die Gerberei zurückgekehrt, aus Furcht vor den Kaiserlichen und weil sie Sorgen um ihr eigenes, lediges Kind gehabt habe, das bei guten Leuten im Nachbarort Lechhausen untergebracht gewesen sei.

Der alte Dollinger unterbrach sie grob und schnappte, es habe also zumindest eine Person in der Stadt gegeben, die so etwas wie Furcht verspürt habe. Er freue sich, das feststellen zu können, denn es beweise, daß eben zumindest eine Person damals einige Vernunft besessen habe. Schön sei es allerdings von der Zeugin nicht gewesen, daß sie sich nur um ihr eigenes Kind gekümmert habe, andererseits aber heiße es ja im Volksmund, Blut sei dicker als Wasser, und was eine rechte Mutter sei, die gehe auch stehlen für ihr Kind, das sei aber vom Gesetz streng verboten, denn Eigentum sei Eigentum, und wer stehle, der lüge auch, und lügen sei ebenfalls vom Gesetz verboten. Und dann hielt er eine seiner weisen und derben Lektionen über die Abgefeimtheit der Menschen, die das Gericht anschwindelten, bis sie blau im Gesicht seien, und nach einem kleinen Abstecher über die Bauern, die die Milch unschuldiger Kühe mit Wasser verpanschten, und den Magistrat der Stadt, der zu hohe Marktsteuern von den Bauern nehme, der überhaupt nichts mit dem Prozeß zu tun hatte, verkündigte er, daß die Zeugenaussage geschlossen sei und nichts ergeben habe.

Dann machte er eine lange Pause und zeigte alle Anzeichen

der Ratlosigkeit, sich umblickend, als erwarte er von irgendeiner Seite her einen Vorschlag, wie man zu einem Schluß kommen könnte.

Die Leute sahen sich verblüfft an, und einige reckten die Hälse, um einen Blick auf den hilflosen Richter zu erwischen. Es blieb aber sehr still im Saal, nur von der Straße herauf konnte man die Menge hören.

Dann ergriff der Richter wieder seufzend das Wort.

»Es ist nicht festgestellt worden, wer die rechte Mutter ist«, sagte er. »Das Kind ist zu bedauern. Man hat schon gehört, daß die Väter sich oft drücken und nicht die Väter sein wollen, die Schufte, aber hier melden sich gleich zwei Mütter. Der Gerichtshof hat ihnen so lange zugehört, wie sie es verdienen, nämlich einer jeden geschlagene fünf Minuten, und der Gerichtshof ist zu der Überzeugung gelangt, daß beide wie gedruckt lügen. Nun ist aber, wie gesagt, auch noch das Kind zu bedenken, das eine Mutter haben muß. Man muß also, ohne auf bloßes Geschwätz einzugehen, feststellen, wer die rechte Mutter des Kindes ist.«

Und mit ärgerlicher Stimme rief er den Gerichtsdiener und befahl ihm, eine Kreide zu holen.

Der Gerichtsdiener ging und brachte ein Stück Kreide.

»Zieh mit der Kreide da auf dem Fußboden einen Kreis, in dem drei Personen stehen können«, wies ihn der Richter an.

Der Gerichtsdiener kniete nieder und zog mit der Kreide den gewünschten Kreis.

»Jetzt bring das Kind«, befahl der Richter.

Das Kind wurde hereingebracht. Es fing wieder an zu heulen und wollte zu Anna. Der alte Dollinger kümmerte sich nicht um das Geplärr und hielt seine Ansprache nur in etwas lauterem Ton.

»Diese Probe, die jetzt vorgenommen werden wird«, verkündete er, »habe ich in einem alten Buch gefunden, und sie gilt als recht gut. Der einfache Grundgedanke der Probe mit dem Kreidekreis ist, daß die echte Mutter an ihrer Liebe zum Kind erkannt wird. Also muß die Stärke dieser Liebe erprobt werden. Gerichtsdiener, stell das Kind in diesen Kreidekreis.«

Der Gerichtsdiener nahm das plärrende Kind von der Hand der Amme und führte es in den Kreis. Der Richter fuhr fort, sich an Frau Zingli und Anna wendend:

»Stellt auch ihr euch in den Kreidekreis, faßt jede eine Hand des Kindes, und wenn ich ›los‹ sage, dann bemüht euch, das Kind aus dem Kreis zu ziehen. Die von euch die stärkere Liebe hat, wird auch mit der größeren Kraft ziehen und so das Kind auf ihre Seite bringen.«

Im Saal war es unruhig geworden. Die Zuschauer stellten sich auf die Fußspitzen und stritten sich mit den vor ihnen Stehenden.

Es wurde aber wieder totenstill, als die beiden Frauen in den Kreis traten und jede eine Hand des Kindes faßte. Auch das Kind war verstummt, als ahnte es, um was es ging. Es hielt sein tränenüberströmtes Gesichtchen zu Anna emporgewendet. Dann kommandierte der Richter »los«.

Und mit einem einzigen heftigen Ruck riß Frau Zingli das Kind aus dem Kreidekreis. Verstört und ungläubig sah Anna ihm nach. Aus Furcht, es könne Schaden erleiden, wenn es an beiden Ärmchen zugleich in zwei Richtungen gezogen würde, hatte sie es sogleich losgelassen.

Der alte Dollinger stand auf.

»Und somit wissen wir«, sagte er laut, »wer die rechte Mutter ist. Nehmt der Schlampe das Kind weg. Sie würde es kalten Herzens in Stücke reißen.« Und er nickte Anna zu und ging schnell aus dem Saal, zu seinem Frühstück.

Und in den nächsten Wochen erzählten sich die Bauern der Umgebung, die nicht auf den Kopf gefallen waren, daß der Richter, als er der Frau aus Mering das Kind zusprach, mit den Augen gezwinkert habe.

GESCHICHTEN

VOM HERRN KEUNER

Zu Herrn K. kam ein Philosophieprofessor und erzählte ihm von seiner Weisheit. Nach einer Weile sagte Herr K. zu ihm: »Du sitzt unbequem, du redest unbequem, du denkst unbequem.« Der Philosophieprofessor wurde zornig und sagte: »Nicht über mich wollte ich etwas wissen, sondern über den Inhalt dessen, was ich sagte.« »Es hat keinen Inhalt«, sagte Herr K. »Ich sehe dich täppisch gehen, und es ist kein Ziel, das du, während ich dich gehen sehe, erreichst. Du redest dunkel, und es ist keine Helle, die du während des Redens schaffst. Sehend deine Haltung, interessiert mich dein Ziel nicht.«

Organisation

Herr K. sagte einmal: »Der Denkende benützt kein Licht zuviel, kein Stück Brot zuviel, keinen Gedanken zuviel.«

Maßnahmen gegen die Gewalt

Als Herr Keuner, der Denkende, sich in einem Saale vor vielen gegen die Gewalt aussprach, merkte er, wie die Leute vor ihm zurückwichen und weggingen. Er blickte sich um und sah hinter sich stehen – die Gewalt.
»Was sagtest du?« fragte ihn die Gewalt.
»Ich sprach mich für die Gewalt aus«, antwortete Herr Keuner.
Als Herr Keuner weggegangen war, fragten ihn seine Schüler nach seinem Rückgrat. Herr Keuner antwortete: »Ich habe kein Rückgrat zum Zerschlagen. Gerade ich muß länger leben als die Gewalt.«

Und Herr Keuner erzählte folgende Geschichte:

In die Wohnung des Herrn Egge, der gelernt hatte, nein zu sagen, kam eines Tages in der Zeit der Illegalität ein Agent, der zeigte einen Schein vor, welcher ausgestellt war im Namen derer, die die Stadt beherrschten, und auf dem stand, daß ihm gehören solle jede Wohnung, in die er seinen Fuß setzte; ebenso sollte ihm auch jedes Essen gehören, das er verlange; ebenso sollte ihm auch jeder Mann dienen, den er sähe.

Der Agent setzte sich in einen Stuhl, verlangte Essen, wusch sich, legte sich nieder und fragte mit dem Gesicht zur Wand vor dem Einschlafen: »Wirst du mir dienen?«

Herr Egge deckte ihn mit einer Decke zu, vertrieb die Fliegen, bewachte seinen Schlaf, und wie an diesem Tage gehorchte er ihm sieben Jahre lang. Aber was immer er für ihn tat, eines zu tun hütete er sich wohl: das war, ein Wort zu sagen. Als nun die sieben Jahre herum waren und der Agent dick geworden war vom vielen Essen, Schlafen und Befehlen, starb der Agent. Da wickelte ihn Herr Egge in die verdorbene Decke, schleifte ihn aus dem Haus, wusch das Lager, tünchte die Wände, atmete auf und antwortete: »Nein.«

Von den Trägern des Wissens

»Wer das Wissen trägt, der darf nicht kämpfen; noch die Wahrheit sagen; noch einen Dienst erweisen; noch nicht essen; noch die Ehrungen ausschlagen; noch kenntlich sein. Wer das Wissen trägt, hat von allen Tugenden nur eine: daß er das Wissen trägt«, sagte Herr Keuner.

Der Zweckdiener

Herr K. stellte die folgenden Fragen:
»Jeden Morgen macht mein Nachbar Musik auf einem Grammophonkasten. Warum macht er Musik? Ich höre, weil er turnt. Warum turnt er? Weil er Kraft benötigt, höre ich. Wozu benötigt er Kraft? Weil er seine Feinde in der Stadt besiegen muß, sagt er. Warum muß er Feinde besiegen? Weil er essen will, höre ich.«
Nachdem Herr K. dies gehört hatte, daß sein Nachbar Musik machte, um zu turnen, turnte, um kräftig zu sein, kräftig sein wollte, um seine Feinde zu erschlagen, seine Feinde erschlug, um zu essen, stellte er seine Frage: »Warum ißt er?«

Mühsal der Besten

»Woran arbeiten Sie?« wurde Herr K. gefragt. Herr K. antwortete: »Ich habe viel Mühe, ich bereite meinen nächsten Irrtum vor.«

Die Kunst, nicht zu bestechen

Herr K. empfahl einen Mann an einen Kaufmann, seiner Unbestechlichkeit wegen. Nach zwei Wochen kam der Kaufmann wieder zu Herrn K. und fragte ihn: »Was hast du gemeint mit Unbestechlichkeit?« Herr K. sagte: »Wenn ich sage, der Mann, den du anstellst, ist unbestechlich, meine ich damit: du kannst ihn nicht bestechen.« »So«, sagte der Kaufmann betrübt, »nun, ich habe Grund, zu fürchten, daß sich dein Mann sogar von meinen Feinden bestechen läßt.« »Das weiß ich nicht«, sagte Herr K. uninteressiert. »Mir aber«, rief der Kaufmann erbittert, »redet er immerfort nach dem

Mund, also läßt er sich auch von mir bestechen!« Herr K. lächelte eitel. »Von mir läßt er sich nicht bestechen«, sagte er.

Vaterlandsliebe, der Haß gegen Vaterländer

Herr K. hielt es nicht für nötig, in einem bestimmten Lande zu leben. Er sagte: »Ich kann überall hungern.« Eines Tages aber ging er durch eine Stadt, die vom Feind des Landes besetzt war, in dem er lebte. Da kam ihm entgegen ein Offizier dieses Feindes und zwang ihn, vom Bürgersteig herunterzugehen. Herr K. ging herunter und nahm an sich wahr, daß er gegen diesen Mann empört war, und zwar nicht nur gegen diesen Mann, sondern besonders gegen das Land, dem der Mann angehörte, also daß er wünschte, es möchte vom Erdboden vertilgt werden. »Wodurch«, fragte Herr K., »bin ich für diese Minute ein Nationalist geworden? Dadurch, daß ich einem Nationalisten begegnete. Aber darum muß man die Dummheit ja ausrotten, weil sie dumm macht, die ihr begegnen.«

Das Schlechte ist auch nicht billig

Nachdenkend über die Menschen, kam Herr Keuner zu seinen Gedanken über die Verteilung der Armut. Eines Tages wünschte er, sich umsehend in seiner Wohnung, andere Möbel, schlechtere, billigere, armseligere. Sogleich ging er zu einem Tischler und trug ihm auf, den Lack von seinen Möbeln abzuschaben. Aber als der Lack abgeschabt war, sahen die Möbel nicht armselig aus, sondern nur verdorben. Dennoch mußte des Tischlers Rechnung bezahlt werden, und Herr Keuner mußte auch noch seine eigenen Möbel wegwerfen und neue kaufen, armselige, billige, schlechte, da er sie sich doch so wünschte. Einige Leute, die dies erfuhren, lachten nun über Herrn Keuner, da seine armseligen Möbel teurer geworden waren wie die lackierten. Aber Herr Keuner sagte: »Zur Armut gehört nicht sparen, sondern ausgeben. Ich kenne euch: zu euren Gedanken paßt eure Armut nicht. Aber zu meinen Gedanken paßt der Reichtum nicht.«

Hungern

Herr K. hatte anläßlich einer Frage nach dem Vaterland die Antwort gegeben: »Ich kann überall hungern.« Nun fragte ihn ein genauer Hörer, woher es komme, daß er sage, er hungere, während er doch in Wirklichkeit zu essen habe. Herr K. rechtfertigte sich, indem er sagte: »Wahrscheinlich wollte ich sagen, ich kann überall leben, wenn ich leben will, wo Hunger herrscht. Ich gebe zu, daß es ein großer Unterschied ist, ob ich selber hungere oder ob ich lebe, wo Hunger herrscht. Aber zu meiner Entschuldigung darf ich wohl anführen, daß für mich leben, wo Hunger herrscht, wenn nicht ebenso schlimm wie hungern, so doch wenigstens sehr schlimm ist. Es wäre ja für andere nicht wichtig, wenn ich Hunger hätte, aber es ist wichtig, daß ich dagegen bin, daß Hunger herrscht.«

Vorschlag, wenn der Vorschlag nicht beachtet wird

Herr K. empfahl, womöglich jedem Vorschlag zur Güte noch einen weiteren Vorschlag beizufügen, für den Fall, daß der Vorschlag nicht beachtet wird. Als er zum Beispiel jemandem, der in schlechter Lage war, ein bestimmtes Vorgehen angeraten hatte, das so wenige andere schädigte wie möglich, beschrieb er noch ein anderes Vorgehen, weniger harmlos, aber

noch nicht das rücksichtsloseste. »Wer nicht alles kann«, sagte
er, »dem soll man nicht das wenigere erlassen.«

Originalität

»Heute«, beklagte sich Herr K., »gibt es Unzählige, die sich
öffentlich rühmen, ganz allein große Bücher verfassen zu können, und dies wird allgemein gebilligt. Der chinesische Philosoph Dschuang Dsi verfaßte noch im Mannesalter ein Buch
von hunderttausend Wörtern, das zu neun Zehnteln aus Zi-
taten bestand. Solche Bücher können bei uns nicht mehr geschrieben werden, da der Geist fehlt. Infolgedessen werden
Gedanken nur in eigner Werkstatt hergestellt, indem sich der
faul vorkommt, der nicht genug davon fertigbringt. Freilich
gibt es dann auch keinen Gedanken, der übernommen werden, und auch keine Formulierung eines Gedankens, die zi-
tiert werden könnte. Wie wenig brauchen diese alle zu ihrer
Tätigkeit! Ein Federhalter und etwas Papier ist das einzige,
was sie vorzeigen können! Und ohne jede Hilfe, nur mit dem
kümmerlichen Material, das ein einzelner auf seinen Armen
herbeischaffen kann, errichten sie ihre Hütten! Größere Gebäude kennen sie nicht als solche, die ein einziger zu bauen
imstande ist!«

Die Frage, ob es einen Gott gibt

Einer fragte Herrn K., ob es einen Gott gäbe. Herr K. sagte:
»Ich rate dir, nachzudenken, ob dein Verhalten je nach der
Antwort auf diese Frage sich ändern würde. Würde es sich
nicht ändern, dann können wir die Frage fallenlassen. Würde
es sich ändern, dann kann ich dir wenigstens noch so weit
behilflich sein, daß ich dir sage, du hast dich schon entschieden: Du brauchst einen Gott.«

Das Recht auf Schwäche

Herr K. half jemandem in einer schwierigen Angelegenheit.
In der Folge ließ es dieser an jeder Art Dank fehlen.
Herr K. setzte nun seine Freunde in Erstaunen, indem er sich
laut über die Undankbarkeit des Betreffenden beschwerte. Sie
fanden Herrn K.s Benehmen unfein und sagten auch: »Hast
du nicht gewußt, daß man nichts tun soll der Dankbarkeit
wegen, weil der Mensch zu schwach ist, um dankbar zu sein?«
»Und ich«, fragte Herr K., »bin ich kein Mensch? Warum
sollte ich nicht so schwach sein, Dankbarkeit zu verlangen?
Die Leute meinen immer, sie bekennen sich als dumm, wenn
sie bekennen, daß eine Gemeinheit gegen sie verübt wurde.
Wieso eigentlich?«

Der hilflose Knabe

Herr K. sprach über die Unart, erlittenes Unrecht stillschwei-
gend in sich hineinzufressen, und erzählte folgende Geschichte: »Einen vor sich hinweinenden Jungen fragte ein
Vorübergehender nach dem Grund seines Kummers. ›Ich
hatte zwei Groschen für das Kino beisammen‹, sagte der
Knabe, ›da kam ein Junge und riß mir einen aus der Hand‹,
und er zeigte auf einen Jungen, der in einiger Entfernung zu
sehen war. ›Hast du denn nicht um Hilfe geschrien?‹ fragte
der Mann. ›Doch‹, sagte der Junge, und schluchzte ein wenig
stärker. ›Hat dich niemand gehört?‹ fragte ihn der Mann
weiter, ihn liebevoll streichelnd. ›Nein‹, schluchzte der Junge.
›Kannst du denn nicht lauter schreien?‹ fragte der Mann.
›Nein‹, sagte der Junge und blickte ihn mit neuer Hoffnung
an. Denn der Mann lächelte. ›Dann gib auch den her‹, sagte
er, nahm ihm den letzten Groschen aus der Hand und ging
unbekümmert weiter.«

Herr K. und die Natur

Befragt über sein Verhältnis zur Natur, sagte Herr K.: »Ich würde gern mitunter aus dem Haus tretend ein paar Bäume sehen. Besonders da sie durch ihr der Tages- und Jahreszeit entsprechendes Andersaussehen einen so besonderen Grad von Realität erreichen. Auch verwirrt es uns in den Städten mit der Zeit, immer nur Gebrauchsgegenstände zu sehen, Häuser und Bahnen, die unbewohnt leer, unbenutzt sinnlos wären. Unsere eigentümliche Gesellschaftsordnung läßt uns ja auch die Menschen zu solchen Gebrauchsgegenständen zählen, und da haben die Bäume wenigstens für mich, der ich kein Schreiner bin, etwas beruhigend Selbständiges, von mir Absehendes, und ich hoffe sogar, sie haben selbst für die Schreiner einiges an sich, was nicht verwertet werden kann.«

(Herr K. sagte auch: »Es ist nötig für uns, von der Natur einen sparsamen Gebrauch zu machen. Ohne Arbeit in der Natur weilend, gerät man leicht in einen krankhaften Zustand, etwas wie Fieber befällt einen.«)

Überzeugende Fragen

»Ich habe bemerkt«, sagte Herr K., »daß wir viele abschrecken von unserer Lehre dadurch, daß wir auf alles eine Antwort wissen. Könnten wir nicht im Interesse der Propaganda eine Liste der Fragen aufstellen, die uns ganz ungelöst erscheinen?«

Verläßlichkeit

Herr K., der für die Ordnung der menschlichen Beziehungen war, blieb zeit seines Lebens in Kämpfe verwickelt. Eines

Tages geriet er wieder einmal in eine unangenehme Sache, die es nötig machte, daß er nachts mehrere Treffpunkte in der Stadt aufsuchen mußte, die weit auseinanderlagen. Da er krank war, bat er einen Freund um seinen Mantel. Der versprach ihn ihm, obwohl er dadurch selbst eine kleine Verabredung absagen mußte. Gegen Abend nun verschlimmerte sich Herrn K.s Lage so, daß die Gänge ihm nichts mehr nützten und ganz anderes nötig wurde. Dennoch und trotz des Zeitmangels holte Herr K., eifrig, die Verabredung auch seinerseits einzuhalten, den unnütz gewordenen Mantel pünktlich ab.

Das Wiedersehen

Ein Mann, der Herrn K. lange nicht gesehen hatte, begrüßte ihn mit den Worten: »Sie haben sich gar nicht verändert.« »Oh!« sagte Herr K. und erbleichte.

Über die Auswahl der Bestien

Als Herr Keuner, der Denkende, hörte
Daß der bekannteste Verbrecher der Stadt New York
Ein Spritschmuggler und Massenmörder
Wie ein Hund niedergeschossen und
Sang- und klanglos begraben worden sei
Äußerte er nichts als Befremden.

»Wie«, sagte er, »ist es so weit
Daß nicht einmal der Verbrecher seines Lebens sicher ist
Und nicht einmal der zu allem bereit ist
Einigen Erfolg hat?
Jeder weiß, daß die verloren sind
Die auf ihre Menschenwürde bedacht sind.

Aber die sich ihrer entäußern?
Soll es heißen: wer der Tiefe entrann
Fällt auf der Höhe?
Nachts im Schlaf auffahren schweißgebadet die Recht-
Der leiseste Tritt jagt ihnen Schrecken ein   [schaffenen
Ihr gutes Gewissen verfolgt sie bis in den Schlaf
Und jetzt höre ich: auch der Verbrecher
Kann nicht mehr ruhig schlafen?
Welche Verwirrung!

Was sind das für Zeiten!
Mit einer einfachen Gemeinheit, höre ich
Sei nichts mehr getan.
Mit einem Mord allein
Komme keiner mehr durch.
Zwei bis drei Verrate am Vormittag:
Dazu wäre jeder bereit.
Aber was liegt an der Bereitschaft
Wo es nur auf das Können ankommt!
Selbst die Gesinnungslosigkeit genügt noch nicht:
Die Leistung entscheidet!

So fährt selbst der Ruchlose
In die Grube ohne Aufsehen.
Da es zu viele seinesgleichen gibt
Fällt er nicht auf.
Wieviel billiger hätte er das Grab haben können
Der so auf Geld aus war!
So viele Morde
Und ein so kurzes Leben!

So viele Verbrechen
Und so wenig Freunde!

Wäre er mittellos gewesen
Hätten es nicht weniger sein können.

Wie sollen wir angesichts solcher Vorfälle
Nicht den Mut verlieren?
Was noch sollen wir planen?
Welche Verbrechen noch ausdenken?
Es ist nicht gut, wenn zuviel verlangt wird.
Solches sehend«, sagte Herr Keuner
»Sind wir entmutigt.«

Form und Stoff

Herr K. betrachtete ein Gemälde, das einigen Gegenständen eine sehr eigenwillige Form verlieh. Er sagte: »Einigen Künstlern geht es, wenn sie die Welt betrachten, wie vielen Philosophen. Bei der Bemühung um die Form geht der Stoff verloren. Ich arbeitete einmal bei einem Gärtner. Er händigte mir eine Gartenschere aus und hieß mich einen Lorbeerbaum beschneiden. Der Baum stand in einem Topf und wurde zu Festlichkeiten ausgeliehen. Dazu mußte er die Form einer Kugel haben. Ich begann sogleich mit dem Abschneiden der wilden Triebe, aber wie sehr ich mich auch mühte, die Kugelform zu erreichen, es wollte mir lange nicht gelingen. Einmal hatte ich auf der einen, einmal auf der andern Seite zu viel weggestutzt. Als es endlich eine Kugel geworden war, war die Kugel sehr klein. Der Gärtner sagte enttäuscht: ›Gut, das ist die Kugel, aber wo ist der Lorbeer?‹«

Gespräche

»Wir können nicht mehr miteinander sprechen«, sagte Herr K. zu einem Mann. »Warum?« fragte der erschrocken. »Ich bringe in Ihrer Gegenwart nichts Vernünftiges hervor«, beklagte sich Herr K. »Aber das macht mir doch nichts«, tröstete ihn der andere. – »Das glaube ich«, sagte Herr K. erbittert, »aber mir macht es etwas.«

Gastfreundschaft

Wenn Herr K. Gastfreundschaft in Anspruch nahm, ließ er seine Stube, wie er sie antraf, denn er hielt nichts davon, daß Personen ihrer Umgebung den Stempel aufdrückten. Im Gegenteil bemühte er sich, sein Wesen so zu ändern, daß es zu der Behausung paßte; allerdings durfte, was er gerade vorhatte, nicht darunter leiden.
Wenn Herr K. Gastfreundschaft gewährte, rückte er mindestens einen Stuhl oder einen Tisch von seinem bisherigen Platz an einen andern, so auf seinen Gast eingehend. »Und es ist besser, ich entscheide, was zu ihm paßt!« sagte er.

Wenn Herr K. einen Menschen liebte

»Was tun Sie«, wurde Herr K. gefragt, »wenn Sie einen Menschen lieben?« »Ich mache einen Entwurf von ihm«, sagte Herr K., »und sorge, daß er ihm ähnlich wird.« »Wer? Der Entwurf?« »Nein«, sagte Herr K., »der Mensch.«

Über die Störung des »Jetzt für das Jetzt«

Eines Tages zu Gast bei einigermaßen fremden Leuten, entdeckte Herr K., daß seine Wirte auf einem kleinen Tisch in der Ecke des Schlafzimmers, vom Bett aus sichtbar, schon das Geschirr für das Frühstück niedergestellt hatten. Er beschäftigte sich damit noch, nachdem er zunächst seine Wirte in Gedanken gelobt hat, daß sie eilten, mit ihm fertig zu werden. Er überlegt, ob auch er selbst das Geschirr für das Frühstück nachts vor dem Zubettgehen bereitstellen würde. Nach einigem Nachdenken findet er es für sich zu bestimmten Zeiten richtig. Ebenfalls richtig findet er es, daß auch andere sich gelegentlich für einige Zeit mit dieser Frage befassen.

Erfolg

Herr K. sah eine Schauspielerin vorbeigehen und sagte: »Sie ist schön.« Sein Begleiter sagte: »Sie hat neulich Erfolg gehabt, weil sie schön ist.« Herr K. ärgerte sich und sagte: »Sie ist schön, weil sie Erfolg gehabt hat.«

Herr K. und die Katzen

Herr K. liebte die Katzen nicht. Sie schienen ihm keine Freunde der Menschen zu sein; also war er auch nicht ihr Freund. »Hätten wir gleiche Interessen«, sagte er, »dann wäre mir ihre feindselige Haltung gleichgültig.« Aber Herr K. verscheuchte die Katzen nur ungern von seinem Stuhl. »Sich zur Ruhe zu legen, ist eine Arbeit«, sagte er; »sie soll Erfolg haben.« Auch wenn Katzen vor seiner Tür jaulten, stand er auf vom Lager, selbst bei Kälte, und ließ sie in die Wärme ein. »Ihre Rechnung ist einfach«, sagte er, »wenn sie rufen, öffnet man ihnen. Wenn man ihnen nicht mehr öffnet, rufen sie nicht mehr. Rufen, das ist ein Fortschritt.«

Als Herr K. gefragt wurde, welches Tier er vor allen schätze, nannte er den Elefanten und begründete dies so: Der Elefant vereint List mit Stärke. Das ist nicht die kümmerliche List, die ausreicht, einer Nachstellung zu entgehen oder ein Essen zu ergattern, indem man nicht auffällt, sondern die List, welcher die Stärke für große Unternehmungen zur Verfügung steht. Wo dieses Tier war, führt eine breite Spur. Dennoch ist es gutmütig, es versteht Spaß. Es ist ein guter Freund, wie es ein guter Feind ist. Sehr groß und schwer, ist es doch auch sehr schnell. Sein Rüssel führt einem enormen Körper auch die kleinsten Speisen zu, auch Nüsse. Seine Ohren sind verstellbar: Er hört nur, was ihm paßt. Er wird auch sehr alt. Er ist auch gesellig, und dies nicht nur zu Elefanten. Überall ist er sowohl beliebt als auch gefürchtet. Eine gewisse Komik macht es möglich, daß er sogar verehrt werden kann. Er hat eine dicke Haut, darin zerbrechen die Messer; aber sein Gemüt ist zart. Er kann traurig werden. Er kann zornig werden. Er tanzt gern. Er stirbt im Dickicht. Er liebt Kinder und andere kleine Tiere. Er ist grau und fällt nur durch seine Masse auf. Er ist nicht eßbar. Er kann gut arbeiten. Er trinkt gern und wird fröhlich. Er tut etwas für die Kunst: Er liefert Elfenbein.

Das Altertum

Vor einem ›konstruktivistischen‹ Bild des Malers Lundström, einige Wasserkannen darstellend, sagte Herr K.: »Ein Bild aus dem Altertum, aus einem barbarischen Zeitalter! Damals kannten die Menschen wohl nichts mehr auseinander, das Runde erschien nicht mehr rund, das Spitze nicht mehr spitz. Die Maler mußten es wieder zurechtrücken und den Kunden etwas Bestimmtes, Eindeutiges, Festgeformtes zeigen; sie sahen so viel Undeutliches, Fließendes, Zweifelhaftes; sie waren so sehr ausgehungert nach Unbestechlichkeit, daß sie einem Mann schon zujubelten, wenn er sich seine Narrheit nicht abkaufen ließ. Die Arbeit war unter viele verteilt, das sieht man an diesem Bild. Diejenigen, welche die Form bestimmten, kümmerten sich nicht um den Zweck der Gegenstände; aus dieser Kanne kann man kein Wasser eingießen. Es muß damals viele Menschen gegeben haben, welche ausschließlich als Gebrauchsgegenstände betrachtet wurden. Auch dagegen mußten die Künstler sich zur Wehr setzen. Ein barbarisches Zeitalter, das Altertum!« Herr K. wurde darauf aufmerksam gemacht, daß das Bild aus der Gegenwart stammte. »Ja«, sagte Herr K. traurig, »aus dem Altertum.«

Eine gute Antwort

Ein Arbeiter wurde vor Gericht gefragt, ob er die weltliche oder die kirchliche Form des Eides benutzen wolle. Er antwortete: »Ich bin arbeitslos.« – »Dies war nicht nur Zerstreutheit«, sagte Herr K. »Durch diese Antwort gab er zu erkennen, daß er sich in einer Lage befand, wo solche Fragen, ja vielleicht das ganze Gerichtsverfahren als solches, keinen Sinn mehr haben.«

Das Lob

Als Herr K. hörte, daß er von früheren Schülern gelobt wurde, sagte er: »Nachdem die Schüler schon längst die Fehler des Meisters vergessen haben, erinnert er selbst sich noch immer daran.«

Herr K. zog die Stadt B der Stadt A vor. »In der Stadt A«, sagte er, »liebt man mich; aber in der Stadt B war man zu mir freundlich. In der Stadt A machte man sich mir nützlich; aber in der Stadt B brauchte man mich. In der Stadt A bat man mich an den Tisch, aber in der Stadt B bat man mich in die Küche.«

Freundschaftsdienste

Als Beispiel für die richtige Art, Freunden einen Dienst zu erweisen, gab Herr K. folgende Geschichte zum besten. »Zu einem alten Araber kamen drei junge Leute und sagten ihm: ›Unser Vater ist gestorben. Er hat uns siebzehn Kamele hinterlassen und im Testament verfügt, daß der Älteste die Hälfte, der zweite ein Drittel und der Jüngste ein Neuntel der Kamele bekommen soll. Jetzt können wir uns über die Teilung nicht einigen; übernimm du die Entscheidung!‹ Der Araber dachte nach und sagte: ›Wie ich es sehe, habt ihr, um gut teilen zu können, ein Kamel zu wenig. Ich habe selbst nur ein einziges Kamel, aber es steht euch zur Verfügung. Nehmt es und teilt dann, und bringt mir nur, was übrigbleibt.‹ Sie bedankten sich für diesen Freundschaftsdienst, nahmen das Kamel mit und teilten die achtzehn Kamele nun so, daß der Älteste die Hälfte, das sind neun, der Zweite ein Drittel, das sind sechs, und der Jüngste ein Neuntel, das sind zwei Kamele bekam. Zu ihrem Erstaunen blieb, als sie ihre Kamele zur Seite geführt hatten, ein Kamel übrig. Dieses brachten sie, ihren Dank erneuernd, ihrem alten Freund zurück.«
Herr K. nannte diesen Freundschaftsdienst richtig, weil er keine besonderen Opfer verlangte.

Eine fremde Behausung betretend, sah Herr K., bevor er sich zur Ruhe begab, nach den Ausgängen des Hauses und sonst nichts. Auf eine Frage antwortete er verlegen: »Das ist eine alte leidige Gewohnheit. Ich bin für die Gerechtigkeit; da ist es gut, wenn meine Wohnung mehr als einen Ausgang hat.«

Herr K. und die Konsequenz

Eines Tages stellte Herr K. einem seiner Freunde folgende Frage: »Ich verkehre seit kurzem mit einem Mann, der mir gegenüber wohnt. Jetzt habe ich keine Lust mehr, mit ihm zu verkehren; jedoch fehlt mir nicht nur ein Grund für den Verkehr, sondern auch für die Trennung. Nun habe ich entdeckt, daß er, als er kürzlich das kleine Haus, das er bisher nur gemietet hatte, kaufte, sogleich einen Pflaumenbaum vor seinem Fenster, der ihm Licht wegnahm, umschlagen ließ, obwohl die Pflaumen erst halb reif waren. Soll ich nun dies als Grund nehmen, den Verkehr mit ihm abzubrechen, wenigstens nach außen hin oder wenigstens nach innen hin?«

Einige Tage darauf erzählte Herr K. seinem Freund: »Ich habe den Verkehr mit dem Burschen jetzt abgebrochen; denken Sie sich, er hatte schon seit Monaten von dem damaligen Besitzer des Hauses verlangt, daß der Baum abgehauen würde, der ihm das Licht wegnahm. Der aber wollte es nicht tun, weil er die Früchte noch haben wollte. Und jetzt, wo das Haus auf meinen Bekannten übergegangen ist, läßt er den Baum tatsächlich abhauen, noch voll unreifer Früchte! Ich habe den Verkehr mit ihm jetzt wegen seines unkonsequenten Verhaltens abgebrochen.«

Herrn K. wurde vorgehalten, bei ihm sei allzu häufig der Wunsch Vater des Gedankens. Herr K. antwortete: »Es gab niemals einen Gedanken, dessen Vater kein Wunsch war. Nur darüber kann man sich streiten: Welcher Wunsch? Man muß nicht argwöhnen, daß ein Kind gar keinen Vater haben könnte, um zu argwöhnen: Die Feststellung der Vaterschaft sei schwer.«

Rechtsprechung

Herr K. nannte oft als in gewisser Weise vorbildlich eine Rechtsvorschrift des alten China, nach der für große Prozesse die Richter aus entfernten Provinzen herbeigeholt wurden. So konnten sie nämlich viel schwerer bestochen werden (und mußten also weniger unbestechlich sein), da die ortsansässigen Richter über ihre Unbestechlichkeit wachten – also Leute, die gerade in dieser Beziehung sich genau auskannten und ihnen übelwollten. Auch kannten diese herbeigeholten Richter die Gebräuche und Zustände der Gegend nicht aus der alltäglichen Erfahrung. Unrecht gewinnt oft Rechtscharakter einfach dadurch, daß es häufig vorkommt. Die Neuen mußten sich alles neu berichten lassen; wodurch sie das Auffällige daran wahrnahmen. Und endlich waren sie nicht gezwungen, um der Tugend der Objektivität willen viele andere Tugenden, wie die Dankbarkeit, die Kindesliebe, die Arglosigkeit gegen die nächsten Bekannten, zu verletzen oder so viel Mut zu haben, sich unter ihrer Umgebung Feinde zu machen.

Sokrates

Nach der Lektüre eines Buches über die Geschichte der Philosophie äußerte sich Herr K. abfällig über die Versuche der Philosophen, die Dinge als grundsätzlich unerkennbar hinzustellen. »Als die Sophisten vieles zu wissen behaupteten, ohne etwas studiert zu haben«, sagte er, »trat der Sophist Sokrates hervor mit der arroganten Behauptung, er wisse, daß er nichts wisse. Man hätte erwartet, daß er seinem Satz anfügen würde: denn auch ich habe nichts studiert. (Um etwas zu wissen, müssen wir studieren.) Aber er scheint nicht weitergesprochen zu haben, und vielleicht hätte auch der unermeßliche Beifall, der nach seinem ersten Satz losbrach und der zweitausend Jahre dauerte, jeden weiteren Satz verschluckt.«

Der Gesandte

Neulich sprach ich mit Herrn K. über den Fall des Gesandten einer fremden Macht, Herrn X., der in unserm Land gewisse Aufträge seiner Regierung ausgeführt hatte und nach seiner Rückkehr, wie wir mit Bedauern erfuhren, streng gemaßregelt wurde, obgleich er mit großen Erfolgen zurückgekehrt war. »Es wurde ihm vorgehalten, daß er, um seine Aufträge auszuführen, sich allzu tief mit uns, den Feinden, eingelassen habe«, sagte ich. »Glauben Sie denn, er hätte ohne ein solches Verhalten Erfolg haben können?« »Sicher nicht«, sagte Herr K., »er mußte gut essen, um mit seinen Feinden verhandeln zu können, er mußte Verbrechern schmeicheln und sich über sein Land lustig machen, um sein Ziel zu erreichen.« »Dann hat er also richtig gehandelt?« fragte ich. »Ja, natürlich«, sagte Herr K. zerstreut. »Er hat da richtig gehandelt.« Und Herr K. wollte sich von mir verabschieden. Ich hielt ihn jedoch am Ärmel zurück.»Warum wurde er dann mit dieser Verachtung bedacht, als er zurückkam?« rief ich empört. »Er wird wohl an das gute Essen sich gewöhnt, den Verkehr mit Verbrechern fortgesetzt haben und in seinem Urteil unsicher geworden sein«, sagte Herr K. gleichgültig, »und da mußten sie ihn maßregeln.« »Und das war Ihrer Meinung nach von ihnen richtig gehandelt?« fragte ich entsetzt. – »Ja, natürlich, wie sollten sie sonst handeln?« sagte Herr K. »Er hatte den Mut und das Verdienst, eine tödliche Aufgabe zu übernehmen. Dabei starb er. Sollten sie ihn nun, anstatt ihn zu begraben, in der Luft verfaulen lassen und den Gestank ertragen?«

Der natürliche Eigentumstrieb

Als jemand in einer Gesellschaft den Eigentumstrieb natürlich nannte, erzählte Herr K. die folgende Geschichte von den alteingesessenen Fischern: »An der Südküste von Island gibt es Fischer, die das dortige Meer vermittels festverankerter Bojen in einzelne Stücke zerlegt und unter sich aufgeteilt haben. An diesen Wasserfeldern hängen sie mit großer Liebe als an ihrem Eigentum. Sie fühlen sich mit ihnen verwachsen, würden sie, auch wenn keine Fische mehr darin zu finden wären, niemals aufgeben und verachten die Bewohner der Hafenstädte, an die sie, was sie fischen, verkaufen, da diese ihnen als ein oberflächliches, der Natur entwöhntes Geschlecht vorkommen. Sie selbst nennen sich wasserständig. Wenn sie größere Fische fangen, behalten sie dieselben bei sich in Bottichen, geben ihnen Namen und hängen sehr an ihnen als an ihrem Eigentum. Seit einiger Zeit soll es ihnen wirtschaftlich schlecht gehen, jedoch weisen sie alle Reformbestrebungen mit Entschiedenheit zurück, so daß schon mehrere Regierungen, die ihre Gewohnheiten mißachteten, von ihnen gestürzt wurden. Solche Fischer beweisen unwiderlegbar die Macht des Eigentumstriebes, dem der Mensch von Natur aus unterworfen ist.«

Wenn die Haifische Menschen wären

»Wenn die Haifische Menschen wären«, fragte Herrn K. die kleine Tochter seiner Wirtin, »wären sie dann netter zu den kleinen Fischen?« »Sicher«, sagte er. »Wenn die Haifische Menschen wären, würden sie im Meer für die kleinen Fische gewaltige Kästen bauen lassen, mit allerhand Nahrung drin, sowohl Pflanzen als auch Tierzeug. Sie würden sorgen, daß die Kästen immer frisches Wasser hätten, und sie würden überhaupt allerhand sanitäre Maßnahmen treffen. Wenn zum Beispiel ein Fischlein sich die Flosse verletzen würde, dann würde ihm sogleich ein Verband gemacht, damit es den Haifischen nicht wegstürbe vor der Zeit. Damit die Fischlein nicht trübsinnig würden, gäbe es ab und zu große Wasserfeste; denn lustige Fischlein schmecken besser als trübsinnige. Es gäbe natürlich auch Schulen in den großen Kästen. In diesen Schulen würden die Fischlein lernen, wie man in den Rachen der Haifische schwimmt. Sie würden zum Beispiel Geographie brauchen, damit sie die großen Haifische, die faul irgendwo liegen, finden könnten. Die Hauptsache wäre natürlich die moralische Ausbildung der Fischlein. Sie würden unterrichtet werden, daß es das Größte und Schönste sei, wenn ein Fischlein sich freudig aufopfert, und daß sie alle an die Haifische glauben müßten, vor allem, wenn sie sagten, sie würden für eine schöne Zukunft sorgen. Man würde den Fischlein beibringen, daß diese Zukunft nur gesichert sei, wenn sie Gehorsam lernten. Vor allen niedrigen, materialistischen, egoistischen und marxistischen Neigungen müßten sich die Fischlein hüten und es sofort den Haifischen melden, wenn eines von ihnen solche Neigungen verriete. Wenn die Haifische Menschen wären, würden sie natürlich auch untereinander Kriege führen, um fremde Fischkästen und fremde Fischlein zu erobern. Die Kriege würden sie von ihren eigenen Fischlein führen lassen. Sie würden die Fischlein lehren, daß zwischen ihnen und den Fischlein der anderen Haifische ein riesiger Unterschied bestehe. Die Fischlein, würden sie verkünden, sind bekanntlich stumm, aber sie schweigen in ganz verschiedenen Sprachen und können einander daher unmöglich verstehen. Jedem Fischlein, das im Krieg ein paar andere Fischlein, feindliche, in anderer Sprache schweigende Fischlein tötete, würden sie einen kleinen Orden aus Seetang anheften und den Titel Held verleihen. Wenn die Haifische Menschen wären, gäbe es bei ihnen natürlich auch eine Kunst. Es gäbe schöne Bilder, auf denen die Zähne der Haifische in prächtigen Farben, ihre Rachen als reine Lustgärten, in denen es sich prächtig tummeln läßt, dargestellt wären. Die Theater auf dem Meeresgrund würden zeigen, wie heldenmütige Fischlein begeistert in die Haifischrachen schwimmen, und die Musik wäre so schön, daß die Fischlein unter ihren Klängen, die Kapelle voran, träumerisch, und in allerangenehmste Gedanken eingelullt, in die Haifischrachen strömten. Auch eine Religion gäbe es da, wenn die Haifische Menschen wären. Sie würde lehren, daß die Fischlein erst im Bauch der Haifische richtig zu leben begännen. Übrigens würde es auch aufhören, wenn die Haifische Menschen wären, daß alle Fischlein, wie es jetzt ist, gleich sind. Einige von ihnen würden Ämter bekommen und über die anderen gesetzt werden. Die ein wenig größeren dürften sogar die kleineren auffressen. Das wäre für die Haifische nur angenehm, da sie dann selber öfter größere Brocken zu fressen bekämen. Und die größeren, Posten habenden Fischlein würden für die Ordnung unter den Fischlein sorgen, Lehrer, Offiziere, Ingenieure im Kastenbau usw. werden. Kurz, es gäbe überhaupt erst eine Kultur im Meer, wenn die Haifische Menschen wären.«

Warten

Herr K. wartete auf etwas einen Tag, dann eine Woche, dann noch einen Monat. Am Schlusse sagte er: »Einen Monat hätte ich ganz gut warten können, aber nicht diesen Tag und diese Woche.«

Der unentbehrliche Beamte

Von einem Beamten, der schon ziemlich lange in seinem Amt saß, hörte Herr K. rühmenderweise, er sei unentbehrlich, ein so guter Beamter sei er. »Wieso ist er unentbehrlich?« fragte Herr K. ärgerlich. »Das Amt liefe nicht ohne ihn«, sagten seine Lober. »Wie kann er da ein guter Beamter sein, wenn das Amt nicht ohne ihn liefe?« sagte Herr K., »er hat Zeit genug gehabt, sein Amt so weit zu ordnen, daß er entbehrlich ist. Womit beschäftigt er sich eigentlich? Ich will es euch sagen: mit Erpressung!«

Erträglicher Affront

Ein Mitarbeiter Herrn K.s wurde beschuldigt, er nehme eine unfreundliche Haltung zu ihm ein. »Ja, aber nur hinter meinem Rücken«, verteidigte ihn Herr K.

Herr K. fährt Auto

Herr K. hatte gelernt, Auto zu fahren, fuhr aber zunächst noch nicht sehr gut. »Ich habe erst gelernt, ein Auto zu fahren«, entschuldigte er sich. »Man muß aber zweie fahren können, nämlich auch noch das Auto vor dem eigenen. Nur wenn man beobachtet, welches die Fahrverhältnisse für das Auto sind, das vor einem fährt, und seine Hindernisse beurteilt, weiß man, wie man in bezug auf dieses Auto verfahren muß.«

Herr K. und die Lyrik

Nach der Lektüre eines Gedichtbandes sagte Herr K.: »Die Kandidaten für öffentliche Ämter durften in Rom, wenn sie auf dem Forum auftraten, keine Gewänder mit Taschen tragen, damit sie keine Bestechungsgelder nehmen konnten. So sollten die Lyriker keine Ärmel tragen, damit sie keine Verse aus ihnen schütteln können.«

Das Horoskop

Herr K. bat Leute, die sich Horoskope stellen ließen, ihrem Astrologen ein Datum in der Vergangenheit zu nennen, einen Tag, an dem ihnen ein besonderes Glück oder Unglück geschehen war. Das Horoskop mußte es dem Astrologen gestatten, das Geschehnis einigermaßen festzustellen. Herr K. hatte mit diesem Rat wenig Erfolg, denn die Gläubigen bekamen zwar von ihren Astrologen Angaben über Ungunst oder Gunst der Sterne, die mit den Erfahrungen der Frager nicht zusammenpaßten, aber sie sagten dann ärgerlich, die Sterne deuteten ja nur auf gewisse Möglichkeiten, und die konnten ja zu dem angegebenen Datum durchaus bestanden haben. Herr K. zeigte sich dadurch überrascht und stellte eine weitere Frage. »Es leuchtet mir auch nicht ein«, sagte er, »daß von allen Geschöpfen nur die Menschen von den Konstellationen der Gestirne beeinflußt werden sollen. Diese Kräfte werden doch die Tiere nicht einfach auslassen. Was geschieht aber, wenn ein bestimmter Mensch etwa ein Wassermann ist, aber einen Floh hat, der ein Stier ist, und in einem Fluß ertrinkt? Der Floh ertrinkt dann vielleicht mit ihm, obwohl er eine sehr günstige Konstellation haben mag. Das gefällt mir nicht.«

Mißverstanden

Herr K. besuchte eine Versammlung und erzählte danach folgende Geschichte: In der großen Stadt X gibt es einen sogenannten Humpfklub, in dem es Sitte war, nach Einnahme einer vorzüglichen Mahlzeit alljährlich einige Male ›Humpf‹ zu sagen. Dem Klub gehörten Leute an, denen es unmöglich war, mit ihrer Meinung dauernd hinterm Berg zu halten, die aber die Erfahrung hatten machen müssen, daß ihre Aussagen mißverstanden wurden. »Ich höre allerdings«, sagte Herr K. kopfschüttelnd, »daß auch dieses ›Humpf‹ von einigen mißverstanden wird, indem sie annehmen, es bedeute *nichts*.«

Zwei Fahrer

Herr K., befragt über die Arbeitsweise zweier Theaterleute, verglich sie folgendermaßen: »Ich kenne einen Fahrer, der die Verkehrsregeln gut kennt, innehält und für sich zu nutzen weiß. Er versteht es geschickt, vorzupreschen, dann wieder eine regelmäßige Geschwindigkeit zu halten, seinen Motor

zu schonen, und so findet er vorsichtig und kühn seinen
Weg zwischen den andern Fahrzeugen. Ein anderer Fahrer,
den ich kenne, geht anders vor. Mehr als an seinem Weg ist
er interessiert am gesamten Verkehr und fühlt sich nur als
ein Teilchen davon. Er nimmt nicht seine Rechte wahr und
tut sich nicht persönlich besonders hervor. Er fährt im Geist
mit dem Wagen vor ihm und dem Wagen hinter ihm, mit
einem ständigen Vergnügen an dem Vorwärtskommen aller
Wägen und der Fußgänger dazu.«

Gerechtigkeitsgefühl

Herrn K.s Gastgeber hatten einen Hund, und eines Tages
kam dieser mit allen Anzeichen des Schuldgefühls angekro-
chen. »Er hat etwas angestellt, reden Sie sofort streng und
traurig mit ihm«, riet Herr K. »Aber ich weiß doch nicht,
was er angestellt hat«, wehrte sich der Gastgeber. »Das kann
der Hund nicht wissen«, sagte Herr K. dringlich. »Zeigen Sie
schnell Ihre betroffene Mißbilligung, sonst leidet sein Ge-
rechtigkeitsgefühl.«

Über Freundlichkeit

Herr K. schätzte Freundlichkeit sehr. Er sagte: »Jemanden
untenhalten, wenn auch freundlich, jemanden nicht nach seinen Möglichkeiten beurteilen, zu jemandem nur freundlich
sein, wenn auch er zu einem freundlich ist, jemanden kalt betrachten, wenn er heiß, heiß betrachten, wenn er kalt ist, das
ist nicht freundlich.«

Herr Keuner und die Zeichnung seiner Nichte

Herr Keuner sah sich die Zeichnung seiner kleinen Nichte an. Sie stellte ein Huhn dar, das über einen Hof flog. »Warum hat dein Huhn eigentlich drei Beine?« fragte Herr Keuner. »Hühner können doch nicht fliegen«, sagte die kleine Künstlerin, »und darum brauchte ich ein drittes Bein zum Abstoßen.«
»Ich bin froh, daß ich gefragt habe«, sagte Herr Keuner.

Herr Keuner und Leibesübungen

Ein Freund erzählte Herrn Keuner, seine Gesundheit sei besser, seit er im Herbst am Garten alle Kirschen eines großen Baums gepflückt habe. Er sei bis ans Ende der Äste gekrochen, und die vielfältigen Bewegungen, das Umsich- und Übersichgreifen müßten ihm gut getan haben.
»Haben Sie die Kirschen gegessen?« fragte Herr Keuner, und im Besitz einer bejahenden Antwort sagte er: »Das sind dann Leibesübungen, die ich auch mir gestatten würde.«

Zorn und Belehrung

Herr Keuner sagte: »Schwierig ist, diejenigen zu belehren, auf die man zornig ist. Es ist aber besonders nötig, denn sie brauchen es besonders.«

Über Bestechlichkeit

Als Herr Keuner in einer Gesellschaft seiner Zeit von der reinen Erkenntnis sprach und erwähnte, daß sie nur durch die Bekämpfung der Bestechlichkeit angestrebt werden könne, fragten ihn etliche beiläufig, was alles zu Bestechlichkeit gehöre. Geld, sagte Herr Keuner schnell. Da entstand ein großes Ah und Oh der Verwunderung in der Gesellschaft und sogar ein Kopfschütteln der Entrüstung. Dies zeigt, daß man etwas Feineres erwartet hatte. So verriet man den Wunsch, die Bestochenen möchten doch durch etwas Feines, Geistiges bestochen worden sein und: man möchte doch einem bestochenen Mann nicht vorwerfen dürfen, daß es ihm an Geist fehle.

Viele, sagt man, ließen sich durch Ehren bestechen. Damit meinte man: nicht durch Geld. Und während man Leuten, denen nachgewiesen war, daß sie unrechterweise Geld genommen hatten, das Geld wieder abnahm, wünscht man jenen, die ebenso unrechterweise Ehre genommen haben, Ehre zu lassen.

So ziehen es viele, die der Ausbeutung angeklagt werden, vor, glauben zu machen, sie hätten das Geld genommen, um herrschen zu können, als daß sie sich sagen lassen, sie hätten geherrscht, um Geld zu nehmen. Aber wo Geldhaben herrschen bedeutet, da ist herrschen nichts, was Geldstehlen entschuldigen kann.

Irrtum und Fortschritt

Wenn man nur an sich denkt, kann man nicht glauben, daß man Irrtümer begeht und kommt also nicht weiter. Darum muß man an jene denken, die nach einem weiter arbeiten. Nur so verhindert man, daß etwas fertig wird.

Menschenkenntnis

Herr Keuner hatte wenig Menschenkenntnis, er sagte: »Menschenkenntnis ist nur nötig, wo Ausbeutung im Spiele ist. *Denken heißt verändern.* Wenn ich an einen Menschen denke, dann verändere ich ihn, beinahe kommt mir vor, er sei gar nicht so, wie er ist, sondern er sei nur so gewesen, als ich über ihn zu denken anfing.«

Herr Keuner und die Flut

Herr Keuner ging durch ein Tal, als er plötzlich bemerkte, daß seine Füße in Wasser gingen. Da erkannte er, daß sein Tal in Wirklichkeit ein Meeresarm war und daß die Zeit der Flut herannahte. Er blieb sofort stehen, um sich nach einem Kahn umzusehen, und solange er auf einen Kahn hoffte, blieb er stehen. Als aber kein Kahn in Sicht kam, gab er diese Hoffnung auf und hoffte, daß das Wasser nicht mehr steigen möchte. Erst als ihm das Wasser bis ans Kinn ging, gab er auch diese Hoffnung auf und schwamm. Er hatte erkannt, daß er selber ein Kahn war.

Herr Keuner und die Schauspielerin

Herr Keuner hatte eine Schauspielerin zur Freundin, die empfing Geschenke von einem Reichen. Deshalb hatte sie andere Ansichten über die Reichen als Herr Keuner. Herr Keuner dachte, die Reichen seien schlechte Leute, aber seine Freundin dachte, sie seien nicht alle schlecht. Warum dachte sie, die Reichen seien nicht alle schlecht? Sie dachte es nicht deshalb, weil sie Geschenke von ihnen empfing, sondern deshalb, weil sie Geschenke von ihnen annahm, denn sie glaubte von sich selber, sie würde keine Geschenke von schlechten Leuten annehmen. Herr Keuner, nachdem er lange darüber nachgedacht hatte, glaubte nicht über sie, was sie über sich glaubte. »Nimm ihnen ihr Geld!« rief (das Unvermeidliche ausnützend) Herr Keuner. »Sie haben die Geschenke nicht bezahlt, sondern gestohlen. Nimm diesen schlechten Leuten ihre Diebsbeute ab, damit du eine gute Schauspielerin sein kannst!« »Kann ich nicht auch eine gute Schauspielerin sein, ohne Geld zu haben?« fragte seine Freundin. »Nein«, sagte Herr Keuner heftig. »Nein. Nein. Nein.«

Herr Keuner und die Zeitungen

Herr Keuner begegnete Herrn Wirr, dem Kämpfer gegen die Zeitungen. »Ich bin ein großer Gegner der Zeitungen«, sagte Herr Wirr, »ich will keine Zeitungen.« Herr Keuner sagte: »Ich bin ein größerer Gegner der Zeitungen: ich will andere Zeitungen.«
»Schreiben Sie mir auf einen Zettel«, sagte Herr Keuner zu Herrn Wirr, »was Sie verlangen, damit Zeitungen erscheinen können. Denn Zeitungen werden erscheinen. Verlangen Sie aber ein Minimum. Wenn Sie zum Beispiel Bestechliche zuließen, sie zu verfertigen, so wäre es mir lieber, als daß Sie Unbestechliche verlangten, denn ich würde sie dann einfach bestechen, damit sie die Zeitungen verbesserten. Aber selbst wenn Sie Unbestechliche verlangten, so wollen wir doch anfangen, solche zu suchen, und wenn wir keine finden, so wollen wir doch anfangen, welche zu erzeugen. Schreiben Sie auf einen Zettel, wie die Zeitungen sein sollen, und wenn wir eine Ameise finden, die den Zettel billigt, so wollen wir gleich anfangen. Diese Ameise wird uns mehr helfen, die Zeitungen zu verbessern, als ein allgemeines Geschrei über die Unverbesserlichkeit der Zeitungen. Eher nämlich wird ein

Gebirge durch eine einzige Ameise beseitigt als durch das Gerücht, es sei nicht zu beseitigen.«

Wenn die Zeitungen ein Mittel zur Unordnung sind, so sind sie auch ein Mittel zur Ordnung. Gerade Leute wie Herr Wirr bewiesen durch ihre Unzufriedenheit den Wert der Zeitungen. Herr Wirr meint, der heutige Unwert der Zeitungen beschäftige ihn, aber in Wirklichkeit ist es der morgige Wert.

Herr Wirr hielt den Menschen für hoch und die Zeitungen für unverbesserbar, Herr Keuner hingegen hielt den Menschen für niedrig und die Zeitungen für verbesserbar. »Alles kann besser werden«, sagte Herr Keuner, »außer dem Menschen.«

Über den Verrat

Soll man ein Versprechen halten?

Soll man ein Versprechen geben? Wo etwas versprochen werden muß, herrscht keine Ordnung. Also soll man diese Ordnung herstellen. Der Mensch kann nichts versprechen. Was verspricht der Arm dem Kopf? Daß er ein Arm bleibt und kein Fuß wird. Denn alle sieben Jahre ist er ein anderer Arm. Wenn einer den andern verrät, hat er denselben verraten, dem er versprochen hat? Solang einer, dem etwas versprochen ist, in immer andere Verhältnisse kommt und sich also immer ändert nach den Verhältnissen und ein anderer wird, wie soll ihm gehalten werden, was einem andern versprochen war? Der Denkende verrät. Der Denkende verspricht nichts, als daß er ein Denkender bleibt.

Von irgendjemand sagte Herr Keuner: »Er ist ein großer
Staatsmann. Er läßt sich durch das, was einer ist, nicht darüber täuschen, was er werden kann.
Dadurch, daß die Menschen heute zum Schaden des Einzelnen ausgebeutet werden und dies also nicht wünschen, darf
man sich nicht darüber täuschen lassen, daß die Menschen
es wünschen, ausgebeutet zu werden. Die Schuld der sie zu
ihrem Schaden Ausbeutenden ist umso größer, als sie hier
einen Wunsch von großer Sittlichkeit mißbrauchen.«

Über die Befriedigung von Interessen

Der Hauptgrund dafür, daß die Interessen befriedigt werden
müssen, besteht darin, daß eine große Anzahl von Gedanken
nicht gedacht werden kann, weil sie gegen die Interessen der
Denkenden verstoßen. Wenn man die Interessen nicht befriedigen kann, ist es nötig, sie zu zeigen und ihre Verschieden-
heit zu betonen, denn nur dadurch kann der Denkende Gedanken denken, die den Interessen anderer dienlich sind,
denn leichter als ohne Interessen kann man noch für fremde
Interessen denken.

Die zwei Hergaben

Als die Zeit der blutigen Wirren gekommen war, die er vor-
ausgesehen und von der er gesagt hatte, daß sie ihn selber
verschlingen würde, austilgen und verlöschen für lange Zeit,
holten sie den Denkenden aus dem öffentlichen Hause.
Da bezeichnete er, was er mit sich nehmen wollte in den Zustand der äußersten Verkleinerung, und fürchtete bei sich,

daß es zuviel sein könnte, und als sie es gesammelt hatten und vor ihn hinstellten, war es nicht mehr, als ein Mann wegtragen, und nicht mehr, als ein Mann wegschenken konnte. Da atmete der Denkende auf und bat, daß man ihm diese Dinge in einen Sack geben möchte, und es waren hauptsächlich Bücher und Papiere, und sie enthielten nicht mehr Wissen, als ein Mann vergessen konnte. Diesen Sack nahm er mit und außerdem noch eine Decke, die wählte er aus nach der Leichtigkeit der Reinigung. Alle anderen Dinge, die er um sich gehabt hatte, verließ er und gab sie weg mit einem Satze des Bedauerns und den fünf Sätzen des Einverständnisses.

Dies war die leichte Hergabe.

Doch ist von ihm eine weitere Hergabe bekannt, welche schwieriger war. Auf seinem Wege nämlich des Verborgenwerdens kam er für Zeiten wieder in ein größeres Haus, dort gab er, kurz vor ihn die blutigen Wirren seiner Voraussage nach verschlangen, seine Decke weg für eine reichere oder für viele Decken, und auch den Sack gab er weg mit einem Satze des Bedauerns und den fünf Sätzen des Einverständnisses, wie er auch seine Weisheit vergaß, damit die Auslöschung vollständig würde.

Dies war die schwere Hergabe.

Kennzeichen guten Lebens

Herr Keuner sah irgendwo einen alten Stuhl von großer Schönheit der Arbeit und kaufte ihn sich. Er sagte: »Ich hoffe auf Manches zu kommen, wenn ich nachdenke, wie ein Leben eingerichtet sein müßte, in dem ein solcher Stuhl wie der da gar nicht auffiele oder ein Genuß an ihm nichts Schimpfliches noch Auszeichnendes hätte.«

»Einige Philosophen«, erzählte Herr Keuner, »stellten die Frage auf, wie wohl ein Leben aussehen müßte, das jederzeit in einer entscheidenden Lage vom letzten Schlager sich leiten ließe. Wenn wir ein gutes Leben in der Hand hätten, brauchten wir tatsächlich weder große Beweggründe noch sehr weise Ratschläge und die ganze Auswählerei hörte auf«, sagte Herr Keuner, der Anerkennung über diese Frage voll.

Über die Wahrheit

Zu Herrn Keuner, dem Denkenden, kam der Schüler Tief und sagte: »Ich will die Wahrheit wissen.«
»Welche Wahrheit? Die Wahrheit ist bekannt. Willst du die über den Fischhandel wissen? Oder die über das Steuerwesen? Wenn du dadurch, daß sie dir die Wahrheit über den Fischhandel sagen, ihre Fische nicht mehr hoch bezahlst, wirst du sie nicht erfahren«, sagte Herr Keuner.

Liebe zu wem?

Von der Schauspielerin Z hieß es, sie habe sich aus unglücklicher Liebe umgebracht. Herr Keuner sagte: »Sie hat sich aus Liebe zu sich selbst umgebracht. Den X kann sie jedenfalls nicht geliebt haben. Sonst hätte sie ihm das kaum angetan. Liebe ist der Wunsch etwas zu geben, nicht zu erhalten. Liebe ist die Kunst, etwas zu produzieren mit den Fähigkeiten des Andern. Dazu braucht man von dem Andern Achtung und Zuneigung. Das kann man sich immer verschaffen. Der übermäßige Wunsch, geliebt zu werden, hat wenig mit echter Liebe zu tun. Selbstliebe hat immer etwas Selbstmörderisches.«

Wer kennt wen?

Herr Keuner befragte zwei Frauen über ihren Mann. Die eine gab folgende Auskunft:

»Ich habe zwanzig Jahre mit ihm gelebt. Wir schliefen in einem Zimmer und auf einem Bett. Wir aßen die Mahlzeiten zusammen. Er erzählte mir alle seine Geschäfte. Ich lernte seine Eltern kennen und verkehrte mit allen seinen Freunden. Ich wußte alle seine Krankheiten, die er selber wußte, und einige mehr. Von allen, die ihn kennen, kenne ich ihn am besten.«

»Kennst du ihn also?« fragte Herr Keuner.

»Ich kenne ihn.«

Herr Keuner fragte noch eine andere Frau nach ihrem Mann. Die gab folgende Auskunft:

»Er kam oft längere Zeit nicht, und ich wußte nie, ob er wiederkommen würde. Seit einem Jahr ist er nicht mehr gekommen. Ich weiß nicht, ob er wiederkommen wird. Ich weiß nicht, ob er aus den guten Häusern kommt oder aus den Hafengassen. Es ist ein gutes Haus, in dem ich wohne. Ob er zu mir auch in ein schlechtes käme, wer weiß es? Er erzählt nichts, er spricht mit mir nur von *meinen* Angelegenheiten. Diese kennt er genau. Ich weiß, was er sagt, weiß ich es? Wenn er kommt, hat er manchmal Hunger, manchmal aber ist er satt. Aber er ißt nicht immer, wenn er Hunger hat, und wenn er satt ist, lehnt er eine Mahlzeit nicht ab. Einmal kam er mit einer Wunde. Ich verband sie ihm. Einmal wurde er hereingetragen. Einmal jagte er alle Leute aus meinem Haus. Wenn ich ihn ›dunkler Herr‹ nenne, lacht er und sagt: Was weg ist, ist dunkel, was aber da ist, ist hell. Manchmal aber wird er finster über dieser Anrede. Ich weiß nicht, ob ich ihn liebe. Ich . . .«

»Sprich nicht weiter«, sagte Herr Keuner hastig. »Ich sehe, du kennst ihn. Mehr kennt kein Mensch einen andern als du ihn.«

Der beste Stil

Das einzige, was Herr Keuner über den Stil sagte, ist: »Er sollte zitierbar sein. Ein Zitat ist unpersönlich. Was sind die besten Söhne? Jene, welche den Vater vergessen machen!«

Herr Keuner und der Arzt

Der Arzt S. sagte zu Herrn Keuner beleidigt: »Ich habe über so vieles gesprochen, was unbekannt war. Und ich habe nicht nur gesprochen, sondern auch geheilt.«
»Ist es jetzt bekannt, was du behandelt hast?« fragte Herr Keuner.
S. sagte: »Nein.« »Es ist besser«, sagte Herr Keuner schnell, »daß Unbekanntes unbekannt bleibe, als daß die Geheimnisse vermehrt werden.«

Gleich besser als verschieden

Nicht daß die Menschen verschieden sind, ist gut, sondern daß sie gleich sind. Die Gleichen gefallen sich. Die Verschiedenen langweilen sich.

Der Denkende und der falsche Schüler

Zu Herrn Keuner, dem Denkenden, kam ein falscher Schüler und erzählte ihm: »In Amerika gibt es ein Kalb mit fünf Köpfen. Was sagst du darüber?« Herr Keuner sagte: »Ich sage nichts.« Da freute sich der falsche Schüler und sagte: »Je weiser du wärest, desto mehr könntest du darüber sagen.« Der Dumme erwartet viel. Der Denkende sagt wenig.

Über die Haltung

Die Weisheit ist eine Folge der Haltung.

Da sie nicht das Ziel der Haltung ist, kann die Weisheit niemand zur Nachahmung der Haltung bewegen.

Was ich da sage: daß die Haltung die Taten macht, das möge so sein. Aber die Notwendigkeiten müßt ihr ordnen, daß es so werde.

»Oft sehe ich«, sagte der Denkende, »habe ich eines Vaters Haltung. Aber eines Vaters Taten tue ich nicht. Warum tue ich andere Taten? Weil andere Notwendigkeiten sind. Aber ich sehe, die Haltung hält länger als die Handlungsweise: sie widersteht den Notwendigkeiten.«

Wogegen Herr Keuner war

Herr Keuner war nicht für Abschiednehmen, nicht für Begrüßen, nicht für Jahrestage, nicht für Feste, nicht für das Beenden einer Arbeit, nicht für das Beginnen eines neuen Lebensabschnittes, nicht für Abrechnungen, nicht für Rache, nicht für abschließende Urteile.

Vom Überstehen der Stürme

»Als der Denkende in einen großen Sturm kam, saß er in einem großen Wagen und nahm viel Platz ein. Das erste war, daß er aus seinem Wagen stieg. Das zweite war, daß er seinen Rock ablegte. Das dritte war, daß er sich auf den Boden legte. So überstand er den Sturm in seiner kleinsten Größe.« Dies lesend, sagte Herr Keuner: »Es ist nützlich, sich die Ansichten der andern über einen selber zu eigen zu machen. Sie verstehen einen sonst nicht.«

EDITORISCHE NOTIZ

Die Sammlung und editorische Vorbereitung der Prosa Bertolt Brechts für die Gesamtausgabe der Werke wird noch einige Zeit beanspruchen. Dieser Auswahlband soll daher den Prosaschreiber Brecht zunächst mit charakteristischen Proben vorstellen. Bertolt Brecht hat in seiner Lyrik ebenso wie in seiner Epik die verschiedensten Gattungsformen angewandt. Der Vielfalt der lyrischen Formen von Ode, Ballade, Elegie, Hymne, Sonett, Terzine, Spruch und Song bis zum Lied und Volksliedhaften entspricht die der epischen Formen: Kurzgeschichte, Novelle, Groteske, Satire, Abenteuergeschichte, Parabel, Erzählung und Roman. Dieser Band wurde beschränkt auf einige Erzählungen aus den »Kalendergeschichten« (die hier mit freundlicher Genehmigung des Verlages Gebr. Weiss, Berlin, aufgenommen wurden) und auf eine umfassende Auswahl der kleinen Prosa. Die Texte beginnen mit den ersten Prosaversuchen des Gymnasiasten und enden mit der hier, zum Teil aus dem Nachlaß, zum ersten Mal in dieser Vollständigkeit dargebotenen Sammlung der »Geschichten vom Herrn Keuner«.

BIBLIOGRAPHIE

Balkankrieg (1913): »Die Ernte«, Halbmonatsschrift des Real-
gymnasiums Augsburg, Heft 1, 1913; Bargan läßt es sein (1921):
»Der Neue Merkur« (München) V, 6. Sept. 1921; Bargans Jugend
(1921): unveröffentlicht; Der Tod des Cesare Malatesta (1924):
»Berliner Börsen-Courier«, Nr. 301, 29. 6. 1924; Von der Sintflut
(1925): Betrachtungen bei Regen, »Frankfurter Zeitung«, 27. 7.
1925, Der dicke Ham, »Frankfurter Zeitung«, 27. 7. 1925; Die
höflichen Chinesen (1925): »Berliner Börsen-Courier«, 9. 5. 1925;
Brief über eine Dogge (1925): »Berliner Börsen-Courier«, Nr. 375,
13. 8. 1925; Vier Männer und ein Pokerspiel (1926): »Simplicissi-
mus«, Nr. 5, 3. 5. 1926; Die Bestie (1928): »Berliner Illustrierte
Zeitung«, Nr. 50, Dezember 1928; Der Soldat von La Ciotat
(1928): (unter dem Titel: »L'homme statue«) »Internationale Literatur«, Moskau, Nr. 2/1937; Der Arbeitsplatz (1928): unveröffentlicht; Karins Erzählungen (um 1935): unveröffentlicht; Der
Mantel des Ketzers (1937): (unter dem Titel: »Der Mantel des
Nolaners«) »Internationale Literatur«, Moskau, Nr. 8/1937; Der
Städtebauer (aus den »Geschichten«, um 1938): »Austro American
Tribune«, New York, III, 10. Mai 1945; Gaumer und Irk (um
1938): unveröffentlicht; Eßkultur (um 1938): unveröffentlicht; Ein
Irrtum (1938): unveröffentlicht; In der Erwartung großer Stürme
(1938): unveröffentlicht; Der verwundete Sokrates (1939): »Kalendergeschichten«, Berlin, 1949; Die Trophäen des Lukullus (1939):
unveröffentlicht; Cäsar und sein Legionär (1939): »Kalendergeschichten«, Berlin, 1949; Das Experiment (um 1939): »Kalendergeschichten«, Berlin, 1949; Die unwürdige Greisin (1940): »Kalendergeschichten«, Berlin, 1949; Der Augsburger Kreidekreis
(1940): »Internationale Literatur«, Moskau, Nr. 6/1941; Die zwei
Söhne (1945): »Kalendergeschichten«, Berlin, 1949; Geschichten
vom Herrn Keuner; Weitere, bisher nicht veröffentlichte Geschichten vom Herrn Keuner.

INHALT

BIBLIOTHEK SUHRKAMP